JN122981

おもしろ発明史
おもちゃ

明治・大正特許図面集

ネオテクノロジー

はじめに

この本は、いまから百年ほどむかし、我が国が近代国家に変革する中で誕生した明治から大正時代にかけてのおもちゃの特許発明をひもどき、その中から現代にも通じるおもしろい題材を選び、そこに盛り込まれた工夫の数々を皆様にご紹介いたします。

おもちゃは楽しさがいのちです。おもしろい動きやおどろき、不思議さを楽しむおもちゃは、こどもたちが安全に安心して遊べることがたいせつです。しかも、遊ぶ楽しさから新しい発見が生まれ、夢が膨らむことにもつながるので、こどもからおとなまで誰でも入手できる低価格さも欠かせません。

このように、ひとくちに“おもちゃ”といってもさまざまな観点から知恵を集め、おもちゃの中に盛り込むのですが、いろいろな事柄をいっぺんに盛り込もうとすると無理が生じます。一方を立てれば他方は立たずで、思いのほか、うまくはいきません。モノづくりの目から見ても、おもちゃは中々たいへんそうです。

それだけに、金属や竹、紙などの物質の性質をうまく使い、バネの力を工夫し、風や水の流れを取り入れ、おもちゃのおもしろさを演出する無駄のないスマートな工夫がおもちゃの発明にはあふれています。技術的にも、おもちゃは素晴らしい知恵の宝庫なのです。

ご紹介するおもちゃを明治から大正の特許発明に絞った理由の一つは、この時代はプラスチックがなく、電池もモーターも使えません。全部、バラバラに分解でき、動きを解き明かすことができます。しかも、ありがたいことに明治・大正の特許明細書は先人に努力のおかげで記録文書として保管されています。発明の図面を読み解けば、細かな動きや歯車の連動まで、カラクリを読むことができるのです。図を読み解くのはパズルを読み解くようなおもしろさがあり、発明に潜んでいる素晴らしい知恵を学ぶこともできるのです。

この本では、三つのお楽しみを用意いたしました。

一つ目は、発明のカラクリを自分流に探る楽しみです。この本をご覧になるとき、最初に図を見てみませんか。一つの発明に数枚の図が載っています。ぜひ、図だけをパラパラとご覧になり、どんなおもちゃか、想像してみてください。

二つ目は、仕組みを探って改良する楽しみです。マジシャンがハンカチをつまむ仕草なら、もっとおもしろくする構想を練ってみませんか。技術の革新には破壊的な変革もあるでしょう。しかし、技術は人類に共通な文化。その特徴は世界中の知恵を集めて、合理性の上に改良を積み重ねる。こうして、みんなの力で連続的な変革を起こすことができるのです。

三つ目は、この本の発明をヒントにして紙や割り箸、ペットボトルなどを工作して模型を作ってみる楽しみです。優れた知恵は百年たっても生きているといえそうです。発明をもとに模型を作ってみると、工作しながら発明が現代によみがえることだって大いにありそうです。

本書では 24 件の発明をとりあげました。特許図面が楽しめる発明、仕組みやカラクリが楽しめる発明、何かの着想やキッカケになる発明、そして、単純に「アッハッハ！」と笑える発明を選んだ“おもしろ発明”をご紹介しています。全体は 5 編に分けてあります。人形を題材にした発明、機構のカラクリを楽しむ発明、水や風、音や光を使う発明、そして、自動車や船の発明です。

この本の中には、ひいおじいちゃんやひいおばあちゃんが遊んだり、目にしたようなおもちゃが載っているかもしれません。百年を経た今も明治・大正の工夫から考え方を学ぶこともできます。世代を越えておもちゃに込められた素晴らしい知恵をつなぐことが、現代の科学技術の原点を見直して、次の飛躍につながれば、うれしい限りです。

編者

凡例

1）本書で取り上げた明治から大正までの特許発明

明治 19(1886)年から大正 14(1914)年までに特許出願され、特許になった日本人の発明だけを対象に選んだ。

2）内容の解説

明細書と図面の記載に基づいて解説することを基本にした。しかし、取り上げた発明の特徴が明細書と図面に記載されていない場合や、用語自体の意味が現在は不明な場合も多い。このような場合には必ずしも明細書によらず、編者が独自に読み解いて記述した。発明の名称も本書では使わなかった。その意味で、特許公報は記録文書として使用し、本書の主旨に適う技術的に魅力ある内容を選んで解説した。

3）用語の定義

明細書に使われている字句にこだわらず、技術者の経験と知識により解釈し、最適と思われる現代の用語を用いた。例えば、特許明細書ならではの独特な表現が用いられている場合、技術的機能に照らし、理解の容易のために現代風なカナ文字で表現した。

4）図面の説明

特許図面では、主要な部分に符号をつけ、明細書で内容を説明している。本書では当時の符号を用いた。現在はアラビヤ数字を用いる定めがあるが、当時は、ひらがなやカタカナ、漢数字などが用いられている。

5）技術的な正確性

必ずしも正確ではない。特許発明を明細書や図面の通りに再現しようにも組み立てられないか、動かないと思われる場合も多い。本書では技術的正確性にはこだわらず、着眼点や発想、工夫のおもしろさに着目して選別した。

もくじ

人形を動かす

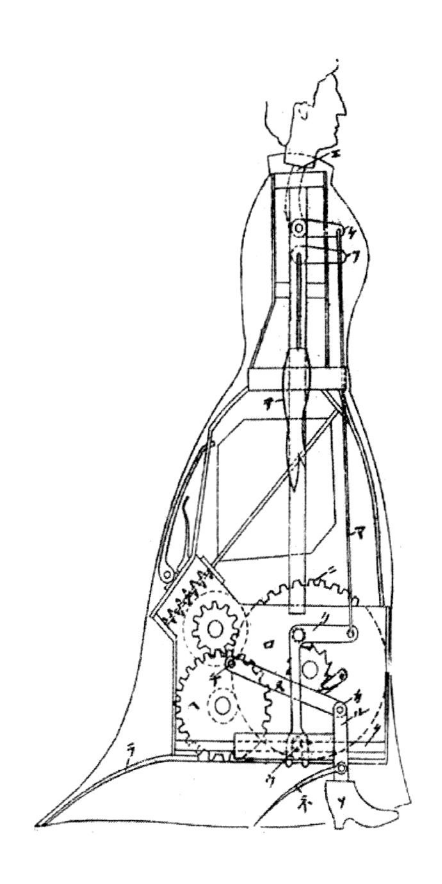

踊る小坊主

特許第二三四號

（明治二十四年七月一日年限滿了ニ依リ特許權消滅）

第百十六類

出願　明治十九年四月二十六日
特許　明治十九年七月　二日
特許年限　五年

東京府神田區五軒町二十番地
特許權者　小林守太郎

明細書

舞蹈玩具

圓筒ノ内部ニ備ヘタル歯輪及ヒ「カム」ノ方便ニ藉リテ圓筒ノ上部ニ於ケル傘ヲ回轉シ人形ヲ上下シ其觀狀恰カモ舞蹈ナス如クニシ且ツ同時ニ撥子ヲ鳴ラシテ奇音ヲ發セシムル如クニ作リタル新奇有益ノ玩具ヲ發明セリ之ヲ左ニ明解ス

此玩具ハ圖ニ示スカ如ク臺(イ)ニ架スルニ上部ニ三個ノ細管(ハ)(ハ)ヲ備ヘテ兩端閉塞セル圓筒(ロ)ヲ以テシ(ロ)ノ内部ニハ中央ニ歯輪(ニ)左右ニ「カム」(ホ)(ヘ)ヲ備ヘ且ツ(ニ)ト(ホ)ノ間ニ當ル處ニ許多ノ小突起(ト)(ト)ヲ設ケタル軸(リ)ヲ備ヘ(リ)ノ一端ハ稍、細クシテ(ロ)ノ甲端ニ穿テル小孔ニ貫メ他端モ亦同シク細クシ(ロ)ノ乙端ノ小孔ヲ通シテ外面ニ出タシ屈曲シテ回手ノ用ヲ辨セシム而シテ中央ニアル管(ハ)ニハ下部ニ歯輪(ヌ)上部ニ傘ヲ備ヘタル細棒(ル)ヲ通シテ(ヌ)ト(ニ)ト嚙合サシメ左右ノ管(ハ)ニハ下部ニ圓板(ヲ)上部ニ人形ヲ備ヘタル細棒(ワ)ヲ通シ(ヲ)ハ(ホ)(ヘ)ト相接シ(ホ)(ヘ)ノ回轉ニ藉リテ昇降セシムヘクス但シ(ホ)(ヘ)ヲ(リ)ニ附着スルニ反對ノ位置ニナシテ左右ノ人形ヲ交互ニ上下セシム又(ロ)ノ内部ノ一方ニ(ト)(ト)ニ觸レテ鳴ラシムル爲メニ一端ヲ鐵搭ノ歯狀ニナセル金屬片(カ)ヲ附着セリ乃チ左手ニ(イ)ヲ持チ右手ヲ以テ回手ヲ回ラストキハ(ヌ)ト(リ)ニ藉リテ(ロ)ノ上部ニ於ケル傘ハ回轉シ又(ホ)(ヘ)ノ回轉ニ藉リテ傘ノ左右ニアル人形ハ交互ニ忽チ上カリ忽チ下カリテ其狀恰カモ舞蹈ヲ觀ルカ如ク且ツ同時ニ(ト)(ト)ハ(カ)ニ觸レ種々ノ奇音ヲ發シテ舞蹈ヲ囃クルカ如クス故ニ太タ小兒ノ耳目ヲ娯マシムルナリ

此發明ノ專賣特許ヲ請求スル區域ハ已ニ前載セル如ク上部ニ細管(ハ)(ハ)内面ニ撥子(カ)ヲ附着シ内部ニハ中央ニ歯輪(ニ)左右ニ「カム」(ホ)(ヘ)(ト

踊る小坊主

けん玉のように片手で軸を握り、もう一方の手でハンドルを回します。手回しにあわせて上の天蓋がクルクルと回り、舞台の上で二人の小坊主が踊ります。

■図1　小坊主がふたり天蓋の下で踊ります

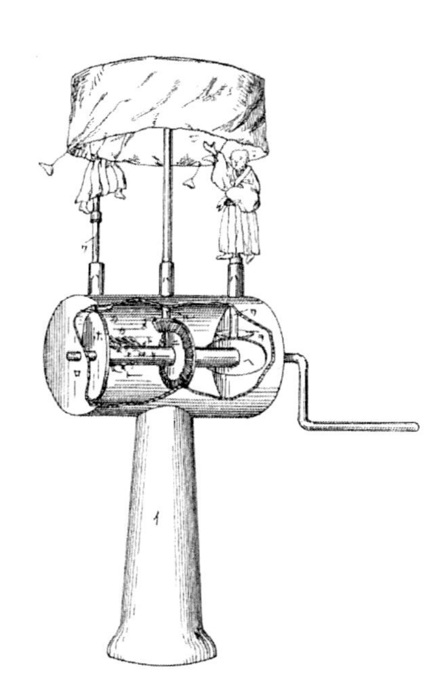

イ:軸
ロ:円筒
ニ:歯車
ホ:左のカム
ヘ:右のカム

小坊主はハンドルに合わせてピョコピョコと飛び跳ねるのですが、クルクルと回る動きの方は、ところどころでズルっと滑ったり、急に止まったりと、何とも不安定です。この頼りにならない小坊主の踊り、なんともいえないおもしろさを誘うようです。

このおもちゃを空想の世界で動かしてみませんか。頭の中で図１のハンドルを一回転させてみてください。ハンドルを一回転させると、円筒の中の回転軸に伝わり、中央の歯車と左右のカムが一緒に回ります。まず、歯車の動きを追うと、ハンドルを回すと歯車が働いて中央の天蓋を回します。天蓋から垂れ下がっている幕には重りがぶら下がっており、天蓋が回ると重りの遠心力で幕の裾がひらひらと拡がります。

次に、歯車の左右にある楕円形のカムの動きを追ってみましょう。どうやら、このカムが働いて二人の小坊主がピョコピョコと飛び跳ねるようです。図１を見直して左右のカムを詳しく調べてみましょう。左右のカムの楕円の向きを見てみてください。左側のカムの楕円の向きは長手方向が上下に向いています。それに対して右側のカムは長手方向が手前と奥、つまり、前後に向いています。つまり、左右のカムの楕円の向きが角度にすると互いに90度だけズレた関係にしてあることが読み取れます。

このおもちゃは二つのカムを使い、90度だけズラして二人の小坊主を交替・交代にピョン飛びさせるのです。どうせなら、もっとたくさんのカムを並べて、互いの楕円の向き（角度）をリズミカルにズラしておくと動きがおもしろそうです。十二支の動物が並んでピョコタン踊りをしたら楽しいでしょうね。

このカムにはもう一つ、おもしろ発明が隠れています。図 2 を見てください。図 1 の右側のカムを拡大した図です。

■図 2　右のカムの部分拡大図

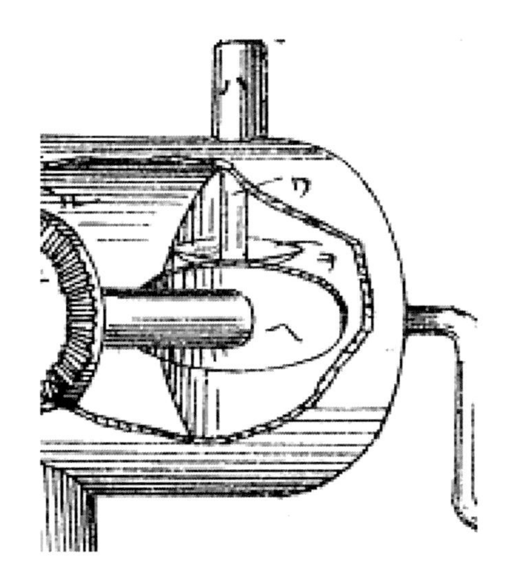

ヘ:カム
ヲ:キノコの傘型円盤
ワ:押し上げ棒

カム（カタカナのヘ）の縁と、キノコの傘のような円盤（カタカナのヲ）の底面が、どの部分で触れ合っているのか、調べてみましょう。

楕円形のカムが回るとカムの縁がキノコの傘を上下に動かす

仕組みだということは読み解き済みです。もちろん、カタカナの「ワ」は人形を押し上げる棒ですね。ここで図２を良く見てください。チョッと下手くそな図ですが、ガマン、ガマンです。それにしても、キノコの軸、つまり、人形の押し上げ棒の軸とハンドルからの回転軸の二つの軸の位置が、少しズレて食い違っている感じがしませんか。どうやら、カムはキノコの中心と接触しているのではなく、キノコの傘の斜めの面にぶつかっているように見えます。

このおもちゃのおもしろポイントは、キノコの軸と回転軸をわざとズラし、キノコの傘の斜面をカムの縁にぶち当てている点にあるようです。では、なぜ、キノコの傘の中心をカムの真上に合わせていないのでしょう。カムの縁と傘の底面がぶつかり合う動作点の位置関係に注目です。

普通の使い方ならカムの板の中央にキノコの傘の軸中心を合わせるはずです。カムは回転運動を相手の上下運動に変換するのが目的で、実際にもエンジンの回転を使ってバルブを上下に開閉するためなどにカムは使われています。

でも、“おもしろ発明”としては小坊主が交互に上下するだけではつまらない。せっかくだったらチョッとおもしろい動きを見せてやろう。明治 19（1886）年に東京・神田の発明者小林さんは、こう考えたのではないでしょうか。

そして、カムの真上にキノコの傘の中心をピタッと合わせてしまうと、カムを回しても小坊主が上下するだけで、ちっともおもしろくない。ところが、中心をズラしてみるとどうだろう。ズラして触れ合せるとキノコの傘が、滑りながら回る！

さて、このカラクリですが、傘まわしの大道芸に似ていませんか。傘の上で皿やボールを回す芸です。もし、皿やボールが傘の中心に乗ってしまったら、皿やボールは回らないですよね。

■図３　円筒の内部を拡大しました

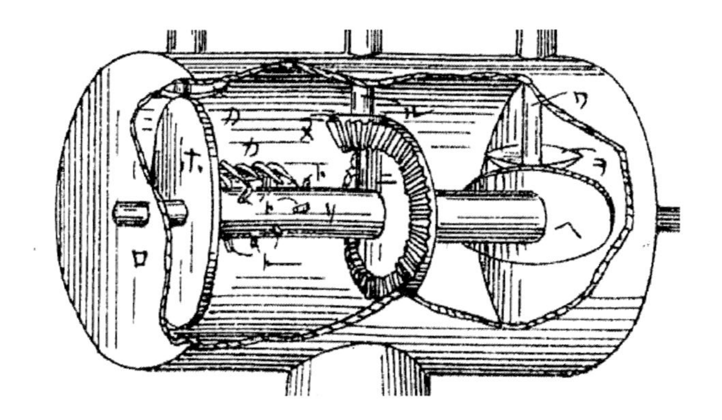

カムには歯車の歯のようなしっかりした噛み合わせがありません。当然にカムと傘の間では滑りが起きる。ギクシャクの動きです。このおもしろ発明には、摩擦と滑りを巧く使い、小坊

主が止まったり急に回ったり、見る人に頼りなく感じてもらうという大変に興味深いワザが隠されていたのです。

☆　★　☆　★　☆　★

話しは代わります。図３の中央に使われている歯車は傘のような形をした傘歯歯車です。

傘歯歯車の特徴は、歯が歯車の斜面に刻まれており、相手の歯車とは斜面の歯が接します。傘歯歯車を使うと、水平軸の回転運動を垂直軸の回転運動へと回転の方向を変えて運動を伝達することができます。歯車には、他にも平歯車やウォームギアなど、いろいろな歯車があります。いろいろな形の歯車があるので調べてみるとおもしろいですよ。

歯車には回転力を伝えるだけでなく、回転する速さ、回転数を変えるという特徴があります。図３を見ると、ハンドル側の歯車と上に向かう歯車では歯車の大きさが違います。歯の数で動きが伝わるので、大きい歯車を一回転する間に小さな歯車を何回転も回わすようにできます。

このように、歯車は一方から他方に滑りなく動きを伝えます。そのために、相手の重さが手元にも伝わります。歯車は一歩一歩ですが、確実に動きを伝達できる信頼できる手段だというわけです。

歯車とカム。この発明者小林さんは、これらの性質を活かし、巧く組み合わせて使っています。いろいろな道具には、良さと悪さが潜んでいます。それらを巧く生かし、良い点を巧く使う、そんな見事なカラクリが発明のおもしろさかもしれませんね。

ところで、図3にはオルゴールが仕込まれています。どこに、どんなオルゴールが組み込まれているのでしょう。オルゴールの秘密を探ってみてはいかがですか。

機械用語（*）では、動かす方のカムのことを原動節、動かされる方の相手を従動節というようです。カムの種類もたくさんあるようです。例えば自動車のガソリンエンジンでは、エンジンの回転運動を利用してカムシャフトが排気弁と吸気弁を上下させ、シリンダの中の燃焼ガスを外に出し、燃料をシリンダに送り込む働きをしています。回転運動を往復運動に変換する同じような機械要素には、カムの他にクランクなどのリンク機構があります。

＊ 機械工学便覧、第１部 機械要素、第５章 運動変換要素、日本機械学会編、丸善出版

第一五六〇一號　第百十六類

出願　明治四十一年十二月七日
特許　明治四十二年二月一日

神戸市兵庫多聞通三丁目三十三番邸　坪井德次郎

活動手品人形

本發明ハ振子時計ト等シク渦狀彈條ト振子ト數多ノ齒輪ト相待テ原動軸ヲ廻轉スヘクシ該軸ノ一端ニハ周圍ニ數多ノ押條ヲ具フル押輪ト押下子及ヒ扛上子ヲ有スル旋廻版トヲ固着シ之ニ依リ上部ニ人形頭ヲ具フル縱桿ヲ旋廻セシムルト共ニ押下子ニテ引キ下ケ桿ヲ經テ人形ノ腕桿ヲ引キ上ケ扛上子ニ依リ臂桿ヲ經テ引キ下ケ桿ノ一端ヲ降下シテ連桿ト共ニ常ニ扛上作用ヲ有スル手品臺枠ヲ引キ下ケシムヘクシ該手品臺ハ多角面ヲナシテ每面ニ各種ノ手品ヲ置キ一降下每ニ一面ツヽ轉廻セシムヘクナシタル活動手品人形ニ係リ其ノ目的トスル處ハ自動ニ依リ手品師人形ヲ活動セシメ其ノ頭部ヲ振リツヽ腕ヲ擧ケテ被布ヲ高上シ每回手品臺ノ手品ヲ變換セシムルニ在リ

別紙圖面ハ本器ノ構造ヲ示シタルモノニシテ第壹圖ハ本器ヲ外部ヨリ見タル處ノ斜面圖、第貳圖ハ外圍ヲ外シ內部ノ機構ヲ示シタル全體斜面圖以上兩圖ニ於ケル同一ノ符號ハ總テ同一ノ部分ヲ示スモノトス

本器ハ適宜臺枠㋑上ニ右手ニテ被布㋩ヲ持チタル手品師人形㋺ト其ノ傍ニ手品臺㋥トヲ置キ該手品臺㋥上ニハ手品㋭ヲ露出セシメテ人形ノ活動ト共ニ手品㋭ヲ變換交代セシムヘクセリ左ニ以上ノ作動ヲナスヘキ本器ノ構造ヲ述ヘン

臺枠㋑ノ內部ニ振子時計ト同一ノ機構ナル振子㋬ト渦狀彈條ト數多ノ齒輪及ヒ鋸齒輪掣子㋣等ヨリ成ル原動及ヒ聯動裝置ニ依リ原動軸㋣ヲ廻轉セシメ該原動軸㋣ノ後端ニハ押輪㋠ヲ固着ス該押輪㋠ハ外方周圍ニ數多ノ押條㋷ヲ適宜ノ距離ヲ隔テヽ環狀ニ相並植セシメ其ノ上部ニハ下部ヲ屈曲セル縱桿㋦ヲ縱設シ其ノ上部ハ高ク臺上ニ出シ之ニ人形頸ヲ具ヘテ螺狀彈機㋸ニ依リ常ニ右方ニ引キ附ケラルヽ作用ヲ有セシメ下部ナル屈曲部ヲ押條㋷間ニ挾入シ之カ旋廻ニ依リ縱桿㋦ヲ旋廻セシメテ人形頸ヲ左右ニ動カサシムヘクス又押輪㋠ニ隣接シテ原動軸㋣ニ旋

三十三

—1—

魅するマジシャン

手狭なステージの上で女性マジシャンがロングスカートを揺らしながらハンカチを持ち上げています。何と、ダルマやサイコロが次々にテーブルの上に現れます。

■図１　ハンカチを持ち上げると、ダルマが・・・

女性マジシャンのクラシックな洋装と、左手を腰に当てた不安げな顔が印象的です。

皆さんは針金細工をご存知ですか。ペンチ一本で針金を折り曲げ、人形や飛行機などのおもちゃを作ります。こどもたちの目をくぎ付けにして夢の世界へ誘う扉でもありました。

■図２　人形に隠された針金細工の構造

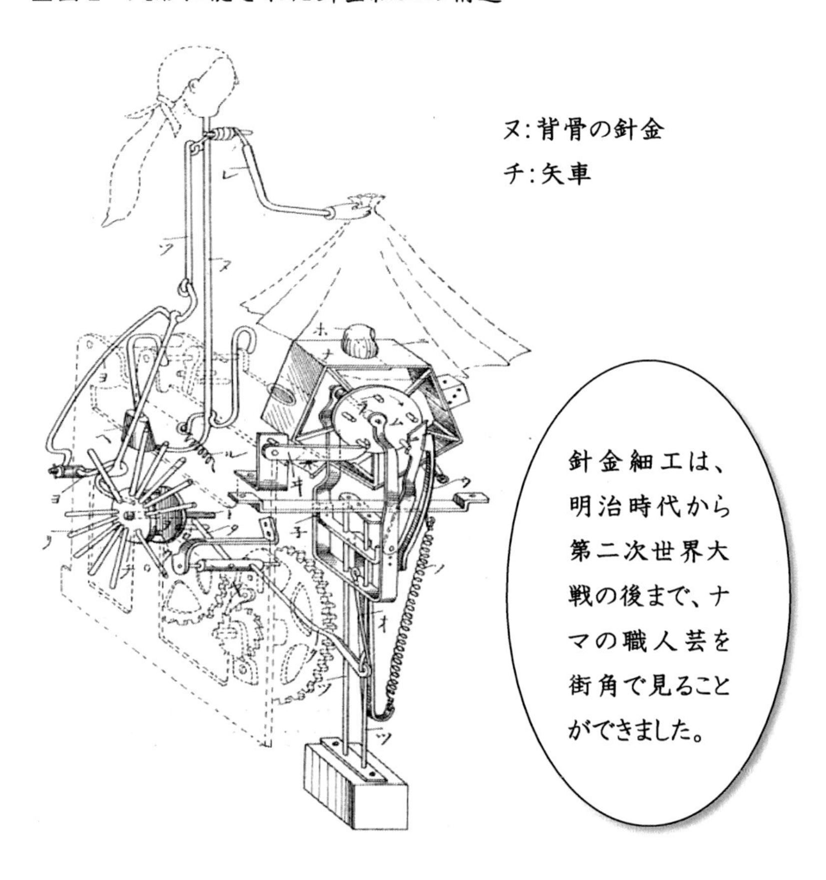

マジシャンの動作、特に頭や手の動きは手品師の生命です。このマジシャン人形の魅力を生み出す針金細工の構造が図２に示されています。左半分は人形が首を傾げながらハンカチを持ち上げる第一のブロック、右半分がテーブルの上に次々と品物を見せる第二のブロックです。そして第一のブロックの下の方には放射状の棒（「リ」と書いてあります）が取り囲んだ矢車のように車輪が描かれています。カタカナで「チ」と書いてあり、ここでは「矢車」と呼ぶことにします。この矢車が、第一と第二の両方のブロックを動かす原動力であり、矢車の裏側にはゼンマイ仕掛けの時計のように多くの歯車が描かれています。

さて、第一のブロックでは、人形の首から下に伸びる太い針金（途中に「ヌ」と書いてあります）がマジシャンの背骨です。腰骨の辺りには、ヘビが鎌首を持ち上げて尻尾を丸め、尻尾で背骨を抱きかかえるような奇妙な形の針金が巻き付けてありますが、このヘビ型の奇妙な針金こそ、マジシャン人形の背骨との関係で針金細工ならではのチョッとしたスゴワザなのです。

ヘビ型針金の尻尾の先は軽くスプリングで引っ張られています。こうしておくと、背骨は丸めた尻尾の中でグラグラ傾いたり、軸を回して首を振ることだってできます。マジシャン人形のぎこちない動きを演出し妖しさを思わせる魅せる針金細工のスゴワザです。

どんなふうに動くでしょうか。図３は第一のブロックの矢車を中心にした針金細工の拡大図です。

■図３　第一のブロックの拡大図

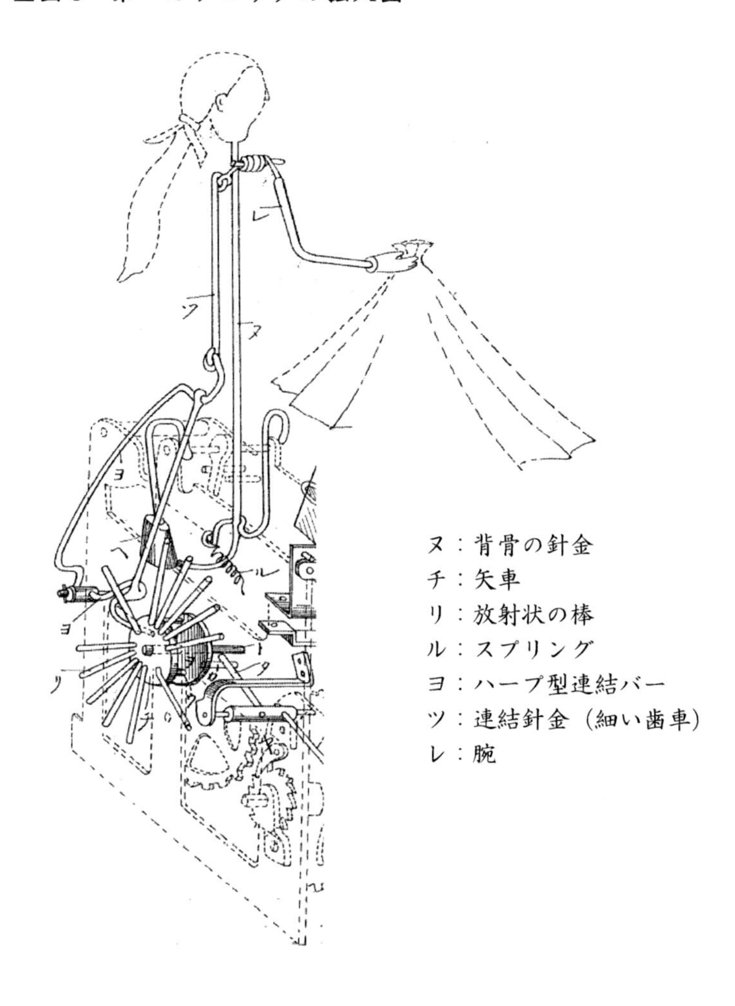

背骨の下端を見てみましょう。ローマ字のＪのように下端が曲がって矢車の放射状の棒（リ）と棒の間に先端が顔を出しているのが分かりますか。

矢車（チ）を反時計回りに回してみましょう。矢車が回ると棒（リ）が回り、棒が回ると背骨（ヌ）の下端を弾き、背骨はヘビ型針金に支えられて弾かれた勢いで軸の向きを振り、軸がねじれると背骨の上の首が振れる。さながらマジシャンがお客様を見渡すように首を振るのです。

矢車が回転するとき、あらかじめ棒の間隔を調整しておけば、快いリズムを奏でるのです。マジシャンがカタン、カタンというリズムに合わせて首を振り、左右のお客様に目を配るというオシャレな仕掛けです。

お客様を見渡した次には、マジシャンがテーブルを覆っているハンカチを持ち上げる演出です。

図３に戻ります。人形の肩のあたりから細い針金（ツ）が背骨と平行に下に伸び、細い針金（ツ）の先には針金細工の連結部があり、そこには楽器の竪琴のような変わった形の針金（ヨ）がつながっています。しかも竪琴型の針金（ヨ）は下端が小さな軸受で支えられ、軸受けを中心に右側に傾くことができそうです。どうやら、竪琴型針金（ヨ）と肩に伸びる細い針金（ツ）、

そして肩の反対側の腕（レ）、そしてハンカチの関係が見えてきました。

まず、矢車が反時計回りに回る。放射状の棒（リ）が竪琴型の針金（ヨ）に触れ、軸受の手前の部分を下に押す。軸受けで支えられた竪琴は右側に傾く。肩に伸びる細い針金（ツ）が下に引っ張られる。すると、腕（レ）が持ち上がりハンカチを上に上げる。こんな針金細工の連動構造が見えてきました。

こんどは第二ブロックです。図４でテーブルの上のサイコロやダルマを次々に変える仕掛けです。動きは大きな矢車から始まります。矢車の裏側、軸の近くに短い棒（「カ」と書いてあります）が突き出ています。矢車を反時計回りに回すと、突き出し棒が、「タ」と書いてあるシーソーの棒を押し上げます。シーソーの原理で棒（タ）が上がれば反対側の棒（ク）は先が下がります。連動して針金（オ）も引き下ろされます。

針金（オ）の上には、両腕のように二本の平板が上に向かって延びており、回転テーブル（ナ）となる五面の函の軸を支えています。この五面の函を支える軸にチョッとした仕掛けがしてあり、針金（オ）を下に引くと五面の函がクルリと回り、函がクルリと回ると、サイコロやダルマが載ったテーブルが目の前に現れるという仕掛けです。

■図４　第二ブロックの構造

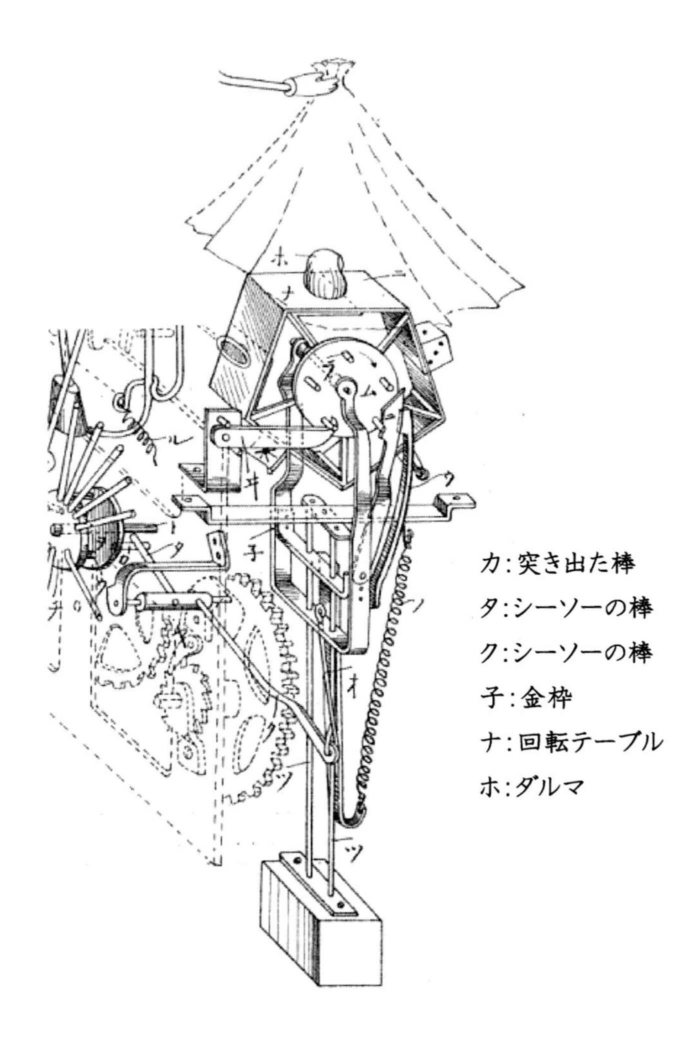

☆　★　☆　★　☆

この発明は、針金細工が生み出す「緩み（ゆるみ）」を巧く使い、人形の頼りない微妙な動きや、針金細工を隠す揺れる衣装など、見る人にたのしさを感じさせる“魅するおもちゃ”の一つです。針金細工が生み出すギクシャクの動きを取り入れた見事な演出でもあり、「あそび（ゆるみ）」を取り入れた大した発明です。

さて、このマジシャン人形の針金細工を読み解いていくと、ふと、ビニール傘を思い浮かべました。大きな矢車から放射状に広がる細い針金が傘の骨です。傘をクルクル回すといろいろな現象が現れます。ビニールを通してひかりの様子が変わります。雨で濡れた傘なら周りに水滴が飛び散ります。

このマジシャン人形の矢車のように、音楽のリズムに合わせてビニール傘の骨の角度を揃え、弾いてみたら楽しいでしょう。骨の長さは音程かもしれません。自分の想い付きで組合せを変えてみる。このようなおもちゃがあれば楽しいでしょうね。

最近はプラスチックスのおもちゃがあふれています。きれいですが、中身の動きを見ることも簡単に分解することも難しい、そんなおもちゃが増えています。分解することは仕組みを知る第一歩です。バラバラにしてみるだけでなく、ときには組み立てに失敗して別な部品として再利用を工夫するなど、分解するたのしさは奥が深いものです。そんなおもちゃのおもしろさが最近は遠のいているようです。

針金細工は、針金の太さを選び、金属だけでなく木や竹などの材質を選ぶことで、細かな網の目を織って曲面を表現したり、コイルにしてバネの働きを利用することもできます。ペンチを使って針金の先をクルッと丸め、そこに別な針金を通して繋ぎ合わせてみます。一か所を動かすと連鎖して思わぬ動きが生まれます。テコやリンク機構なども簡単に体験できます。

針金を折って曲げ、結び付ける針金細工は、デジタルと違い、「あそび(ゆるみ)」の感覚が味わえます。溶接や接着とは違い、緩みや遊びのある動きの連鎖から柔らかさが生み出されます。最近の技術が忘れてきた「ゆるさ」、これからの時代に必要な古くて新しい目のつけどころの一つかもしれません。

しずしずと歩く貴婦人

（明治四十五年三月十五日發行特許公報掲載）　一一九

特許第二一七一三號

第百十六類

出願　明治四十四年九月二十六日
特許　明治四十五年二月二十七日

東京市牛込區余丁町六十七番地
特許權者（發明者）　岡崎内藏松

明細書

岡崎式歩行人形

發明ノ性質及ヒ目的ノ要領

本發明ハ人形ノ兩足ヲ螺旋彈條ニヨリテ發動シ廻旋スル裝置ヲ以テ交互ニ搖動セシメ其後退運動ヲナス方ノ足カ後退セサルヘクナシ足部ノ後方ニ支衝ヲ設ケ直立シタル時重心ヲ兩足ト支衝トノ中間ニ在ルヘク構造シタル人形ニシテ其目的トスル處ハ人形カ直立シテ重心ヲ保チ其足ヲ交互ニ搖動シテ自動歩行ヲナシ得ヘカラシムルニアリ

圖面ノ略解

別紙圖面ニ於テ第一圖ハ本人形ノ正面圖ニシテ第二圖ハ同其左側面圖、第三圖ハ同其右側面圖ナリ

發明ノ詳細ナル說明

地板(イ)(ロ)ノ中間ニ螺旋撥條(ハ)ニヨリテ廻旋スヘクナシタル齒輪(ニ)ヲ設ケ之ニ齒輪(ホ)(ヘ)ヲ齟合セシメ骨及兩手ヲ動カシ兩足ヲ搖動セシムル裝置ト其螺旋撥條(ハ)ニヨル動力ヲ制肘シ各部ヲ適度ニ働カシムル裝置ヲ設

しずしずと歩く貴婦人

ゼンマイ仕掛けのおもちゃです。今でこそゼンマイで動くおもちゃは少なくなりましたが、ロングドレスに正装した貴婦人がしずしずと歩きます。もちろん貴婦人ですから後ろに戻ったりよろけたりすることはありません。図1は衣装を外した人形の正面図と左側面図です。

■図1　衣装を外した人形の仕組み（左が正面図、右が左側面図）

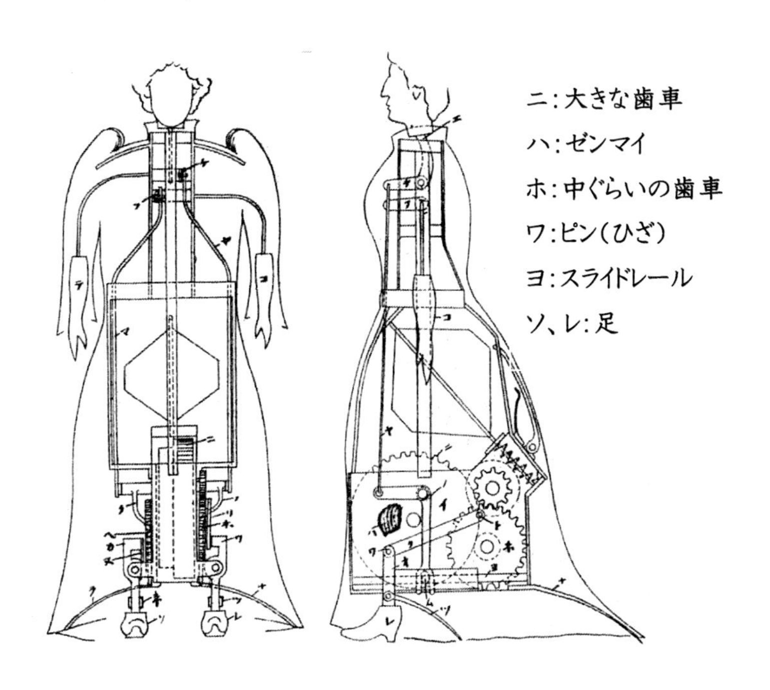

このおもちゃの“おもしろポイント”をご紹介しましょう。人形に限らず現代のロボットでも左右の足で歩かせるのはとても大変です。まず重心を安定させておかないと、人形は簡単に倒れてしまいます。このおもちゃの“おもしろポイント”は歩き方、つまり、すり足歩行で実現した重心の安定なのです。

ひとの歩き方はどうでしょう。普段に歩くときは左右の足を交互に片足立ちにして前に進みます。ひざを曲げてかかとを持ち上げる歩き方です。ロボットのアシモ ASSIMO がそうですが、この歩き方は重心のバランスがものすごく難しく、精密な電子制御が必要になります。

この人形おもちゃは貴婦人がしずしずと歩くのですから身体がグラグラしてはいけません。重心の安定が大事です。そこで、左右の足を床面から離さずにすり足で動かすことを考えました。こうすることにより重心が安定した貴婦人らしい歩き方が生まれます。このすり足歩きの心臓部が図１のスカートの中身です。

歯車とクランクを組み合わせた簡単な構造です。動力はゼンマイです。図１の右側面図では大きな歯車の歯の部分にカタカナで「ニ」とあります。大きな歯車（ニ）の人形のヒザ上あたりに窓が描かれ、中に仕込まれたゼンマイ（カタカナで「ハ」）が見えています。

図２は右側面図です。図１とは反対側から見た図です。大きな歯車（ニ）の軸に小さなギザギザ歯車がついています。このギザギザ歯車を時計方向に回せば、大きな歯車の内側でゼンマイを巻き上げることができます。巻き上げたゼンマイはバネの力で戻ろうとします。どんな動きが生まれるでしょうか。

■図２　歩く人形の内部を見た右側面図です

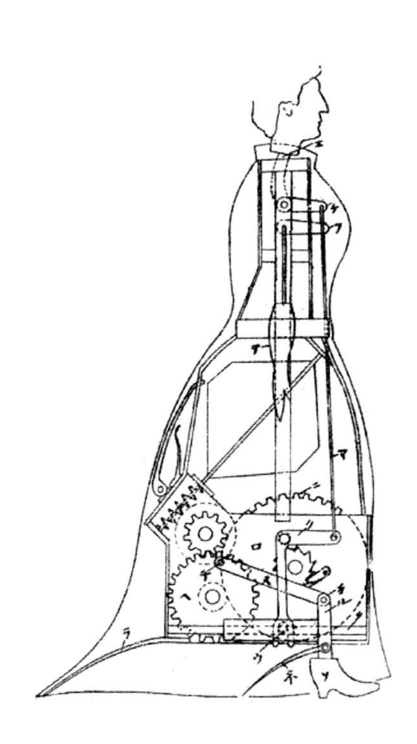

ニ：大きな歯車
ヘ：小さな歯車
チ：歯車のピン
ヌ：ロッド（太もも）
ル、オ：ロッド（すね）
ヨ、タ：スライドレール
ネ：爪
ラ：支えワイヤ

巻き上げたゼンマイはギザギザ歯車を反時計回りに戻すに違いありません。そうすると、ギザギザ歯車の右下に小さな柿の種のようなラチェット（爪）がギザギザ歯車の歯に噛み込み、ラチェットがゼンマイの復元力を受けて大きな歯車を反時計回りに押し上げる動きを生み出します。

ゼンマイの説明が長くなりました。重心とすり足の話に戻しましょう。さて、こうして大きな歯車（ニ）が反時計回りに回ると点線で書いてある小さな歯車（ヘ）が連動し、中ぐらいの歯車にピン（チ）で取り付けられたロッド（ヌ）を前に押し出し、そのあとは後ろに引き戻します。蒸気機関車の動輪とピストンの関係に似ていますね。このロッドは人形の脛（すね）に当たるロッド（ル）につながっており、靴（ソ）はスライドレールに沿って前後に動くことになります。図２と同じ構造が反対側の図１にも設けてあり、ゼンマイの力で歯車を回し、歯車が左右のロッドを交互に前後させ、両足の靴が前後に動くというスライド構造です。

ところで、左右の靴が前後に動くだけでは、片側が前に動いても反対側は後ろに戻るので「行きつ、戻りつ」状態になりますね。その場で両足を交互に前後するだけで一向に前には進みません。

■図３　右足と爪のメカニズム（足元の拡大図）

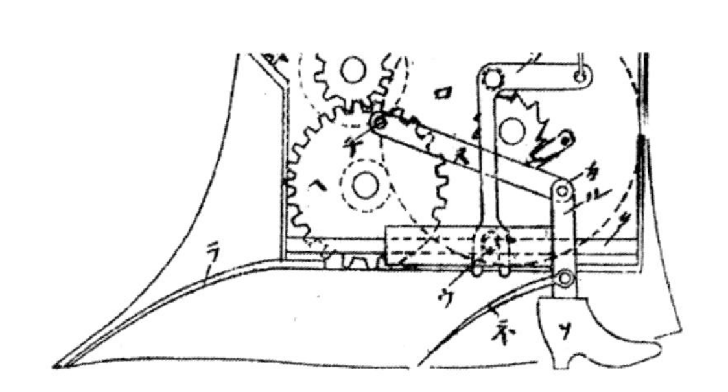

ヘ：小さな歯車
チ：歯車のピン
ヌ：ロッド
ル：すねのロッド
タ：スライドレール
ネ：隠し爪
ラ：支えワイヤ

ここで注目したいのが足首の後ろについている隠し爪（ネ）の働きです。足が前に出る時には爪は床面を滑ります。逆に足が後ろに戻るときは爪が床面に引っかかって貴婦人人形を前に押し出す働きをします。この爪のお蔭で貴婦人はしずしずと前に歩くことができるのです。

さて、つぎは大事な重心の話しです。両足が交互に前後するだけでは重心が下の方にあれば普通は倒れません。しかし、何かの加減で人形が前後に倒れそうになることを防ぐための工夫が必要です。それがスカートの裾に隠れて左右に後ろに向けて伸びている支えワイヤ（ラ、ナ）です。ワイヤの先は、まるでスカートの裾を後ろに長くひきずっているように伸びています。このように人形を上から見て台形の支えとすることにより重心を保ち、人形が左右にぶれることなく直進して歩行するような工夫が込められているのです。

このほか、この貴婦人人形には、頭を上下に軽く会釈するような動きや左右の手を振る工夫が講じられています。さらに、胴体の中央部には斜めに傾いた軸に六角形の薄い板が取り付けられています。ゼンマイが戻る速さを抑えるための風切板で、空転させるエアーブレーキです。この働きで貴婦人は悠然と歩くことができます。ゼンマイ式のおもちゃや掛け時計の時報の調節などによく使われていました。ぜひ、ゼンマイが生み出す動きを追いかけてみてください。

☆　★　☆　★　☆

この発明が生まれたのは、明治 44（西暦 1911）年 9 月です。東京の新宿区余丁町（よちょうまち）に住んでいた岡崎内蔵末さんが発明しました。当時、余丁町には有名な文学者も多く住んでいたそうです。昔の地誌をインターネットで調べてみるのもたのしいですね。

明治時代の発明が百年以上の時空を越えて現代の二足歩行ロボットに影響しているとは思いませんが、技術的な考え方は底流として脈々とつながっているようです。

ゼンマイ

ゼンマイは、金属の薄い板を軸の周りにうずまき状に巻き付け、手を離すとビヨーンと元に戻るバネの反作用を利用して軸を回転させる手巻きの動力です。金属の弾性（バネの性質）は今でも、クリップやスプリングなどに広く使われています。

ゼンマイを巻くときは、ラチェットが鋸状の歯車の逆転をさせずカチッ、カチッと巻き上げ、ゼンマイが戻るときはラチェットが歯車を押し、ゼンマイの力を大きな回転力にするというわけです。

手回しオルゴールと飛び出す人形

特許第二〇二六一號

第百十六類

出願　明治四十四年二月十五日
特許　明治四十四年七月四日

山口縣阿武郡萩町大字南片河町二千五百二十九番地本籍
東京市芝區濱松町二丁目十番地寄留
特許權者(發明者)　西村五一

熊本縣玉名郡坂下村大字下坂下九百番地本籍
東京府北豐島郡日暮里村大字谷中本九百六十四番地寄留
特許權者(發明者)　平橋學二

一三七

(特許局印行)

明細書

變出起樂器

發明ノ性質及ヒ目的ノ要領

本發明ハ板紙又ハ葉鐵等適宜ノ材料ニテ製セル圓筒形ノ函及其内ニ數個ノ人形ト數本ノ針金トヲ車軸及ヒ函ノ内面ニ裝置シ其軸ノ回轉ニ依リ人形カ交々外部ニ起出スルト同時ニ針金ハ放彈セラレ音響ヲ發スル樣構成セル玩具ニシテ其目的トスル所ハ函外ニ人形ヲ出入セシムルノ異觀ナルハ勿論其際美妙ナル音響ヲ發セシメ弄者ヲシテ趣味深キ興感ヲ得セシムルニ在リ

圖面ノ略解

別紙圖面ハ其構造ヲ示ス**第一圖**ハ其前面ヨリ見タル斜面圖**第二圖**ハ其後面ヨリ見タル斜面圖ニシテ孰レモ實際ニ於テ圓筒狀ノ函ナルモ其内部ノ構造ヲ示ス爲メ外周ノ一部ヲ切裂キタル狀ナリ又圖中同一符號ハ同

百三十七

－１－

手回しオルゴールと飛び出す人形

薄い太鼓のようなオルゴールです。小さな手回しハンドルを回すと、オルゴールの音に合わせて太鼓のてっぺんから人形が飛び出します。この太鼓のような空洞の中にチョッとおもしろい仕掛けがあります。

仕掛けを読み解く前におもちゃ全体のイメージを説明します。図１は空洞の内部で回転板が回る構造を示すイラストです。

■図１　回転板が回る全体のイメージ

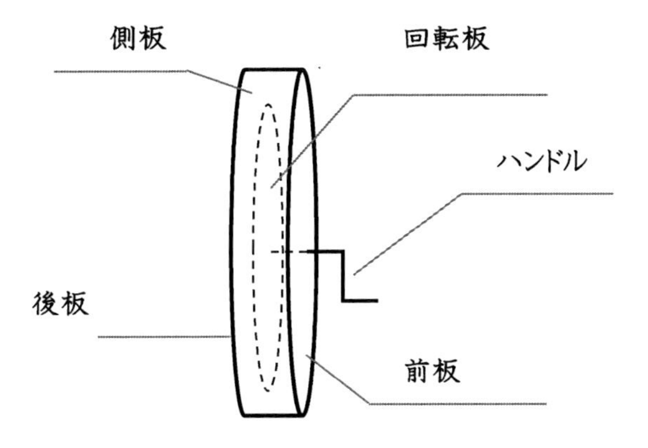

前板と後板の間に空洞を作るように周りをぐるりと側板でふさいでいます。ハンドルを回すと空洞の中で回転板が回ります。。

図２は手前側の円板の一部をカットした図です。小さなハンドルを回すと空洞の中でオルゴールがメロディーを奏でます。

■図２　斜めから見た図（おもてのハンドル側）

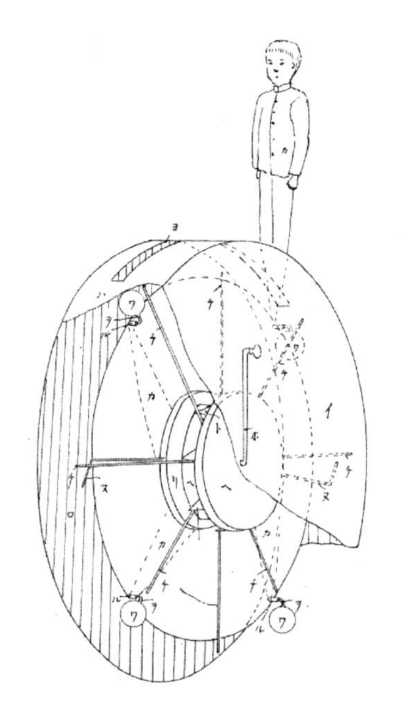

リ:回転板の中央部
ヌ:二本の針金
へ:円板
チ:ピアノ線
ト:三角形の爪

空洞の中の丸い薄い板が回転板です。回転板の中央部分（「リ」と書いてあります）は少し厚くなっており、この「リ」から二本の針金（ヌ）が左右に水平に伸び、先は折れ曲がっています。ハンドルと回転板は一体で、ハンドルを回すと二本の針金（ヌ）は回転板と一緒にクルクルと回ります。ハンドルの軸が通りぬけている円板（ヘ）から８本のピアノ線（チ）が放射状に延び、このピアノ線の長さは音階に応じて長さが調整されています。また、ピアノ線の根元の部分には、円板（ヘ）に「ト」と書かれた三角形の爪（つめ）が取り付けられており、爪がピアノ線の振動の節（ふし）になり、ハンドルを回すと回転板の鉤（かぎ）の先がピアノ線を引っかけ、カランコロンときれいな音を響かせる働きをします。

■図３　斜めから見た図（うら）

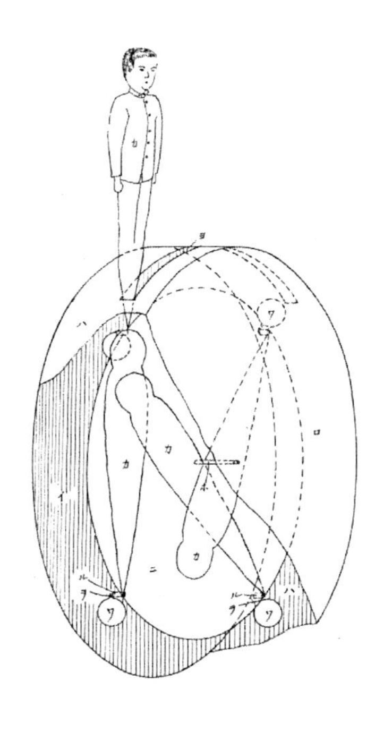

カ:人形
ヨ:てっぺんの窓
ル:管

図３は、図２とは反対に裏側から見た図です。ハンドルを回すと空洞の中で人形（カ）が回転して空洞のてっぺんの窓（ヨ）から飛び出す様子が示されています。

図３の回転板の四カ所に小さな吹き出しのような管（ル）が書かれています。この部分が人形を動かす重要な仕掛けになっています。

管（ル）には細い針金（ヲ）が通してあり、針金の片端には重り（ワ）がぶら下がり、他端には軽い紙を切り抜いた人形が取り付けてあります。こうしておくと、人形は重りの重力で自然に立つわけです。

ハンドルを回すと、オルゴールに合わせてスリットから人形が飛びだし、つぎには空洞の中に潜り込むというおもちゃです。ピアノ線をもっと多くすると複雑なメロディーも奏でることができるでしょう。人形も多くすることができそうです。

図３を見直してみると、四体の人形が描いてあります。ハンドルを回すと次々に四種類の人形が飛び出す、そんなことを考えていたようです。

★　☆　★　☆　★　☆

でも、そううまく行くでしょうか。四体の人形を狭い空洞の中に仕込むとなると、互いの動きが干渉し、ぶつかり合ってゴチャゴチャになってしまいませんか。実際に組み立ててみるといろいろな問題が浮かび上がってくるようです。さーて、問題が浮かび上がるというのは新たに発明が生まれるということ。宝の山だということですね。

簡単に模型を作ってみました。実際に模型を作ってみると、案外、おもしろそうです。いろいろな工夫も盛り込めそうです。

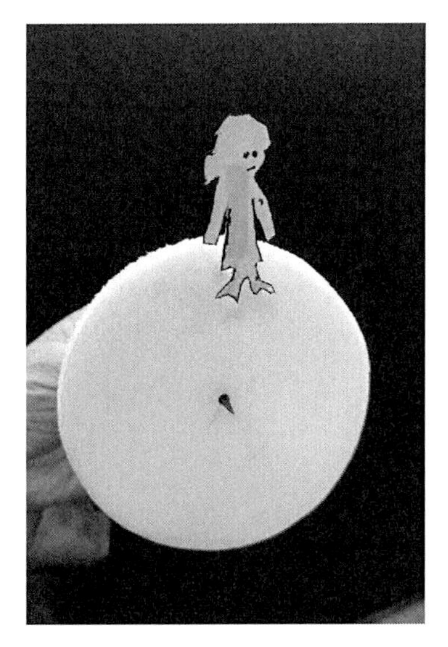

追い駆けっこ人形

第七七六二號　明細書

特許　明治三十七年九月十七日
出願　明治三十七年七月二十二日

玩具

本發明ハ重錘ニ依リテ常ニ起立ノ狀態ヲ有スル人形ト突起ニ釣着シテ回轉スル人形トヲ中空球ノ周圍ニ於テ去來スル如ク關裝シタル玩具ニ係リ其目的トスル所ハ球上ニ於テ二個ノ人形ヲシテ驅馳セシムルニアリ

別紙圖面ノ第一圖ハ縱側面圖第二圖ハ橫側面圖第三圖ハ一部分ノ膨大圖ナリ

右諸圖ニ於テ同一ノ符號ハ同一ノ部分ヲ示スモノナリ

本發明ハ把手(イ)ヲ有スル軸杆(リ)ニ車輻(ハ)ニ突起(チ)ヲ有スル車輪(ロ)ヲ其車輻(ハ)ニ依リテ關裝シ又中空球(ニ)ヲ軸杆(リ)ニ貫裝シ重錘(ト)ヲ付シタル腕杆(ヌ)ヲ軸杆(リ)ニ關裝シ而シテ其腕杆(ヌ)ノ他端ニ人形(ホ)ヲ付シ又軸杆(リ)ニ第一圖ニ示ス如ク腕杆(ヌ)ヨリ稍々大形ノ腕杆(ル)ヲ關着シ之レニ人形(ヘ)ヲ付シタルモノナリ

本發明ハ右ノ如ク構成スルヲ以テ把手(イ)ニテ車輪(ロ)ヲ回轉スルトキハ突起(チ)ニ依リテ腕杆(ル)ヲ回轉セシメ從テ人形(ヘ)ヲ回轉シテ上昇セシメ人形(ホ)ニ衝突セシムルトキハ人形(ホ)ヲ壓シテ共ニ回轉落下ス而シテ人形(ホ)ハ重錘(ト)ニ依リテ直チニ扛起シテ現位ニ復歸ス此際中空球(ニ)ハ共ニ回轉シテ其外面ニ彩色シタル模樣ヲ變位セシメテ興味ヲ添フルモノトス

特許法ニ依リ本發明ニ於ケル特許ヲ請求スル範圍ヲ左ニ揭ク

一、前文所記ノ目的ヲ達スルタメ本文ニ詳記シ且別紙圖面ニ示ス如ク重錘(ト)ト腕杆(ヌ)トニ依リテ常ニ起立ノ狀態ヲ有スル人形(ホ)ト突起(チ)ト腕杆(ル)トニ依リテ回轉スル人形(ヘ)トヲ中空球(ニ)ノ周圍ニ於テ驅馳去來スル如ク關裝シタル玩具

吉田勝令

追い駆けっこ人形

倒したダルマや七福神が自然に起き上がる起き上がり小法師（おきあがりこぼし）は、重りを使った昔からある置き物人形です。ここでご紹介する“おもしろ発明”は子供たちが遊んだ手押し車です。起き上がり小法師の原理で旗振り人形を追いかける人形、この二体がダイナミックに追い駆けっこをします。

■図1　手押し車を横から見た図

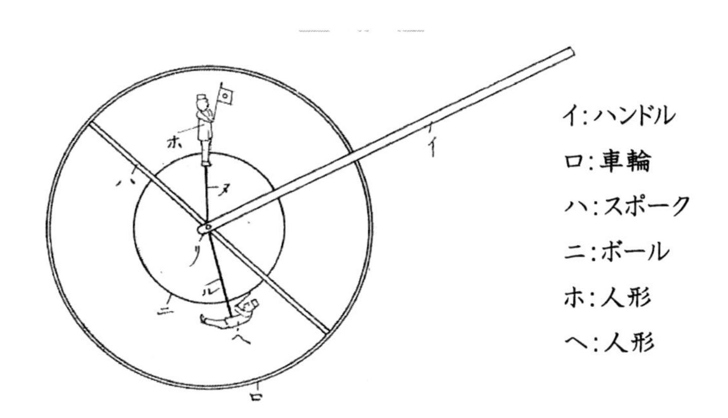

ハンドル（イ）を持って手押し車を左方向に押します。手押し車の車輪（ロ）が回わるとスポーク（ハ）も一緒に回ります。この手押し車を正面から見ると変わった形をしています。図2は手押し車を正面から見た断面図です。普段に見慣れた自転車

の直線状のスポークとは違い、このおもちゃのスポーク（ハ）は左右に張り出した弓型をしています。車軸（リ）に取り付けたボール（ニ）を挟むためにこんな形にしてあるのでしょう。

■図２　前方から見た手押し車の断面図

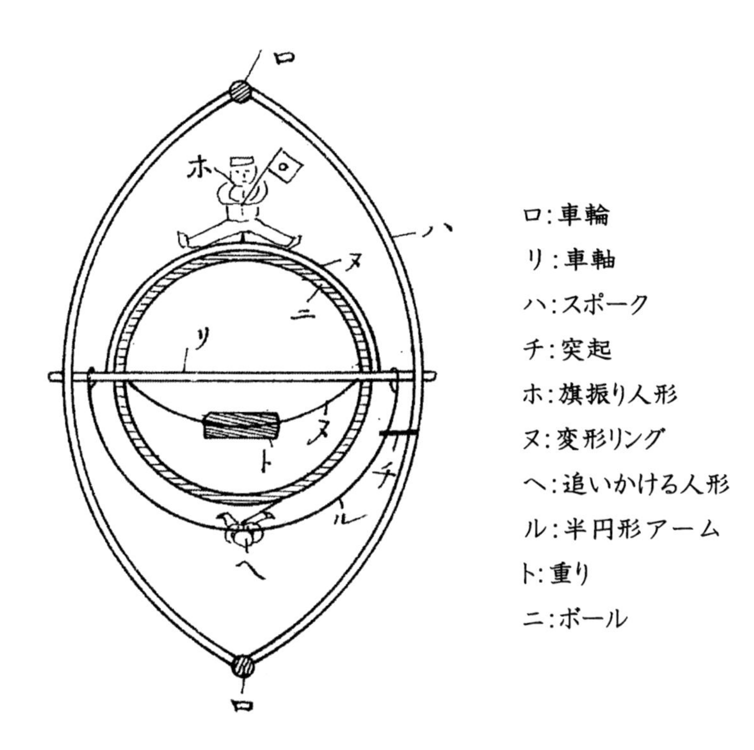

右側のスポーク（ハ）を見ると小さな突起（チ）が飛び出しています。車輪を回すとスポークも一緒に回り、スポークの突

起（チ）が半円形のアーム（ル）に当たります。この半円形のアーム（ル）は図２のように車軸（リ）からぶら下がっており、アームの中ほどに取り付けてある小さな人形の自重でブラブラしている状態です。

このとき、旗振り人形（ホ）はどうかというと、変形リング（ヌ）の下半分がボール（ニ）の中に隠れていて、そこには重り（ト）が取り付けてあり、起き上がり小法師の原理で、旗振り人形は傾いてもすぐに頂点に戻るわけです。

さて、手押し車を押すと車輪が回り始め、スポークも一緒に回り、人形がぶら下がる半円形のアームのところにスポークが至ると、スポークから飛び出している突起（チ）がアームに当たり、その後、車輪が回るとアームごと小さな人形を上の方に持ち上げ、ついには半円形アームの人形（ヘ）が旗振り人形（ホ）を下から追いあげるようにボール（ニ）の頂点に達します。

手押し車の車輪はまだまだ回ります。車輪が回ると、スポークの突起が今度は人形（ヘ）を下方に押し下げるように動き、人形（ヘ）が人形（ホ）を後ろから押して一緒にボールの一番下まで押し下げていきます。

さて、一番下に旗振り人形（ホ）が来ると、ここからもう一度、起き上がり小法師の原理が働きます。旗振り人形が載っている変形リング（ヌ）がボールの一番下を通過すると、変形リングの人形の反対側に取り付けてある重り（ト）の重さで変形リング（ヌ）はクルッと一気に回り、重りが下に、旗振り人形が頂点に上がります。つまり、旗振り人形（ホ）は最下点を通過するや否や、いままで後ろを押してきた人形（ヘ）を置いてきぼりにしてクルッと頂点に立ち戻るのです。

図３は車輪の軸端におけるスポーク（ハ）と車軸（リ）、旗振り人形の変形リング（ヌ）、追いかけっこ人形の半円形アーム（ル）、ボール（ニ）の関係を示した詳細図です。

■図３　変形リングと半円形アーム

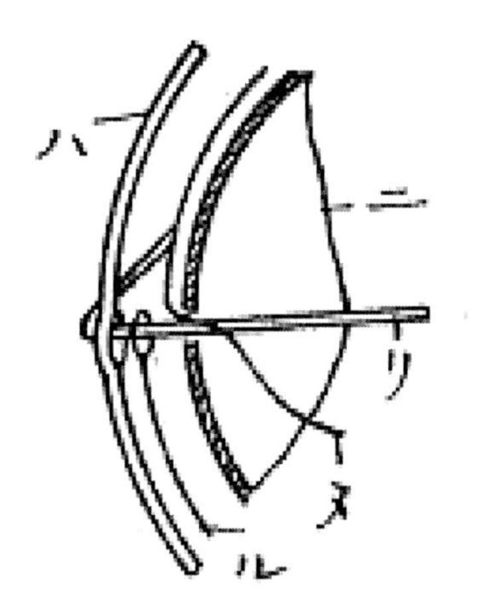

ハ：スポーク
リ：車軸
ヌ：旗振り人形の変形リング
ル：追いかけっこ人形の
　　半円形アーム
ニ：ボール

手押し車の車輪とスポークの動き、車軸にぶら下がる小さな人形の自重の働き、変形リングと旗振り人形が生み出す起き上がり小法師の復元力、スポークの突起が押さえ込む復元力など、見どころ満載のおもちゃです。

こんな満載おもちゃを使ってボールを地球儀に見立て、色彩豊かな地球の姿を描いてみると宇宙飛行士への夢もひろがるかもしれません。

☆　★　☆　★　☆

この“おもしろ発明”の最大の魅力ポイントは、いろいろな力が一本の軸に集まる時間的な変化、車軸を取り巻く力の変化の過渡現象ではないでしょうか。チョッと変わった人形の動きを時間変化でみせる魅力のように思います。

決して落ちない球乗り

特許第二七一九三號　第百十六類

出願　大正二年十一月十一日
特許　大正四年一月二十八日

東京府豐多摩郡澁谷町大字下澁谷三百七十番地
特許權者（發明者）　吉田玄夫

明細書

球乘玩具

發明ノ性質及ヒ目的ノ要領

本發明ハ重心ヲ應用シタル玩具ニシテ球ノ内部ニ經軸ヲ設ケ其ノ中心又ハ中心以下ニ重錘ヲ附着シ外面極心ニ當ル部分ニ圖面ノ如ク兩重錘或ハ三箇以上ノ重錘ヲ備フル重心桿ヲ取付ケタル構造ヨリ成リ其ノ目的トスル所ハ球ノ回轉ニ依リ上部ノ物體ハ振動シテ恰モ球上ヲ走ルカ如ク或ハ球ヲ踏ムカ如クセル變化アリテ危險ナク絕對ニ顚倒スルコトナキ教育玩具ヲ得ントスルニ在リ

圖面ノ略解

別紙圖面ハ本具ノ構造ヲ示ス第一圖ハ本具ノ完成圖第二圖ハ本具ノ正面截斷圖ニシテ全圖面中同一符號ハ同一部分ヲ示ス

發明ノ詳細ナル説明

球(1)ノ内部ニ一條ノ經軸(2)ヲ設ケ該經軸ハ球内兩端ノ軸受(3)ニ挿入シ其ノ中心又ハ中心以下ニ重錘(4)ヲ附着

九

-1-

決して落ちない球乗り

バランスボールをご存知ですか。ボールの上でバランスをとるつもりでもグラグラします。思わぬ筋肉のトレーニングにもうってつけです。このおもちゃはボールの上で、しかも、斜めに人形が立っています。決して落ちることはありません。

■図1　大きなボールの斜め上に立ち乗りする

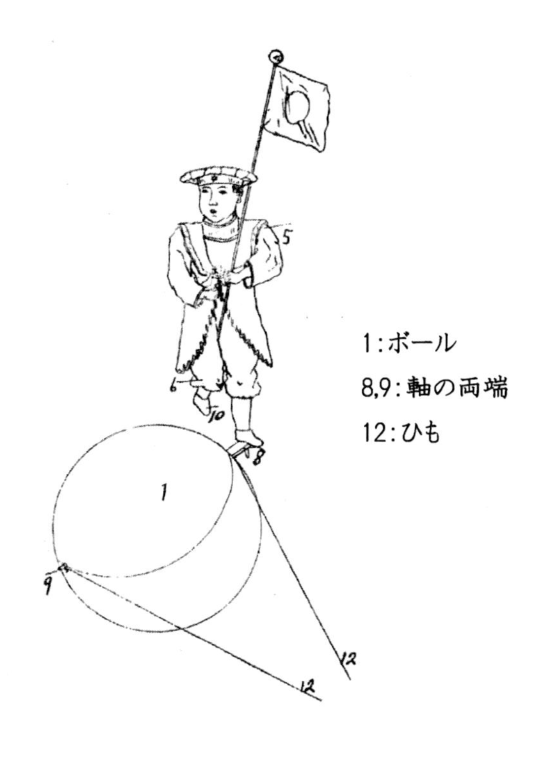

図２はボールと人形の仕組みです。ボール（1）に軸（2）が貫通していますが、軸の両端は二か所の軸受（3）でボールに支えられています。つまり、ボールが回っても軸は回らないで済む構造です。

■図２　ボールと人形の仕組み

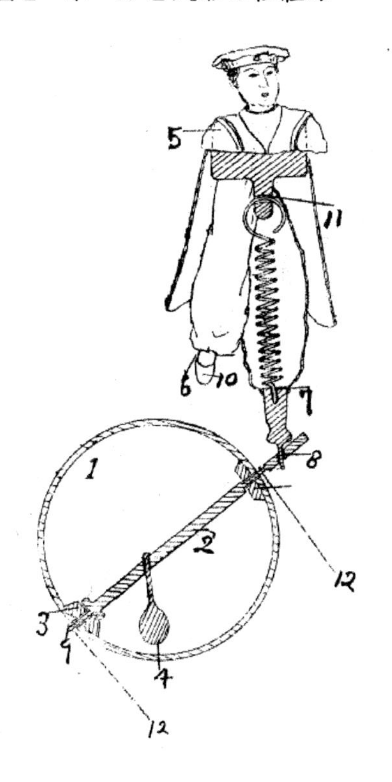

1:ボール
2:軸
3:軸受
4:重り
5:人形
7:スプリング
12:ひも

軸（2）には、一方の端に人形（5）を立ち姿で固定します。また、軸の中間に人形より重い重り（4）をしっかりと固定します。こうしておけば、重りの重力が働き、ちょうどシーソーのようにボールの軸受が支点になって、軸は下に引っ張られると同時に回転することもなく、軸の端に固定した人形を常に立たせておくことができます。

つまり、重りの重さと、人形の倒れようとする回転の力（トルク）のバランスです。人形の重さで軸を回転させようとする力よりも、重りの重力の方が強ければ、人形は倒れずに立たせておくことができます。

こうして、ボールにひも（12）を結び付けて引き回しても、ボールが回っても軸は回らず、人形はバランスよく立ち続けることができます。

人形（5）の足にはスプリング（7）を仕込んであります。ボールであそぶときに人形が揺れ動き、ボールの上でバランスをとっているかのように見せる工夫です。このおもちゃは大正 2（1913）年の特許出願です。

水兵さんと鉄棒

第一七〇一三號　第百十六類

出願　明治四十二年八月二十七日
特許　明治四十二年九月十六日

東京市日本橋區本石町四丁目二十一番地　河合佐兵衛

器械體操人形

本發明ハ內端ノ屈折セル部分ニ錘ヲ附シタル横軸上ニ肩部ニ於テ體ト兩腕トヲ關着セル人形ノ兩手端ヲ定着スルニ人形ノ兩腕カ前記錘ト全ク反對ノ方向ヲ保ツ位置ニ於テナシ而シテ別ニ設ケタル廻轉縱軸上ヨリ横ニ出セル杆ノ先端ニ一ノ打錘ヲ吊垂シ此ノ打錘ニ依リテ人形軸ノ錘部カ下垂シタルトキ之ヲ打チ又同縱軸ノ上部ニ助働屈折杆ヲ設ケテ人形軸ノ錘部カ上方ニ廻動シ來レルトキ該杆ノ先端ニテ錘部ノ運動ヲ妨ケ若クハ助勢スヘク構成シタル器械體操人形ニ係リ其ノ目的トスル所ハ器械體操ニ於ケル金棒運動ニ擬シタル狀態ノ變化ヲ人形ニ與ヘテ觀者ヲシテ興感ヲ深カラシムルニ在リ

別紙圖面第壹圖ハ本發明人形ノ正面圖第貳圖ハ其ノ運動機構ヲ示セル裏面圖第參圖ハ其ノ箱ヲ縱斷シテ示セル本發明ノ側面圖ナリ

本發明ノ要部ハ人形ト之ニ運動ヲ與フル特殊機構トヨリ成ルモノニシテ人形ノ兩腕(1)(1)ノ下端即チ掌部ヲ軸(2)ニ定着シ以テ掌部ニテ金棒ニ擬シタル横軸(2)ヲ握レル狀態ヲナサシメ腕(1)(1)ノ上端即チ肩部ニハ軸(3)ヲ設ケテ之ニ人形ノ體(4)ヲ遊架シ人形ヲシテ軸(2)(3)ノ間ニ其ノ頭首ヲ潜タリ拔ケツヽ廻動シ得ヘカラシメ横軸(2)ハ柱(5)(5)ノ上端ニ緩架シ其ノ內端ハ箱(6)ノ前板ヨリ內部ニ突入シテ人形ノ腕(1)ト反對ノ向ニ屈折セシメ其ノ屈折部(7)ノ先端部ニハ圓壔狀其ノ他適當ノ形狀ヲ有シ且ツ人形ヨリ重キ錘(8)ヲ附設ス故ニ横軸(2)ハ人形ノ腕(1)ヲ上方ニ錘(8)ヲ下方ニ置ケル有樣即チ第壹圖及ヒ第參圖ニ示セル狀態ニ於テ常ニ靜止セントスル傾向ヲ有スルモノトス今此ノ錘(8)ニ或ル特殊ノ振搖運動ヲ與フルトキハ人形ハ錘(8)ノ振搖ニ從テ金棒運動ニ擬シタル面白キ變化アル運動ヲナスヘシ」

上記ノ錘(8)ニ特殊ノ振搖運動ヲ與ヘン爲ニ時計仕掛其ノ他適宜ノ起動裝置ニ依リテ廻轉スヘキ縱軸(9)ヲ箱(6)ノ內

水兵さんと鉄棒

水兵さんが鉄棒で体操をするおもちゃです。図1は正面図です。大きな看板(数字で13と書いてあります)が目につきます。水兵さんが腕(1)で鉄棒(2)に伸びあがり、次にぶら下がり、反動を使って鉄棒で体操をします。

■図1　正面から見ています

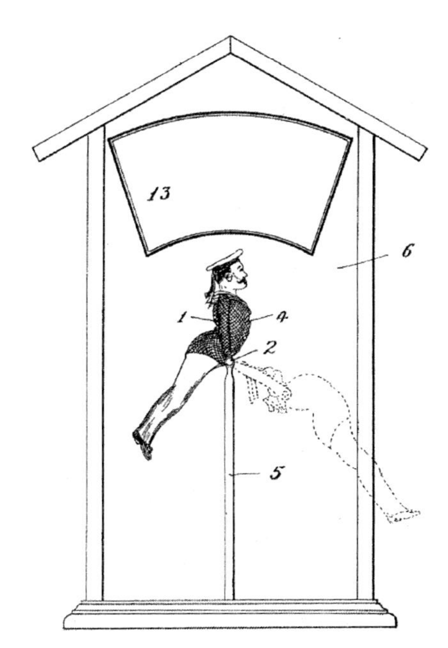

1:水兵さんの腕
2:鉄棒(軸)
4:水兵さん
6:家の形のケース
13:看板

メカニズムを見てみましょう。このおもちゃの側面図が図 2 です。人形は数字 4 が示しているように厚紙を切り抜いた薄い板でできているのだとわかります。

■図 2　横から見ています

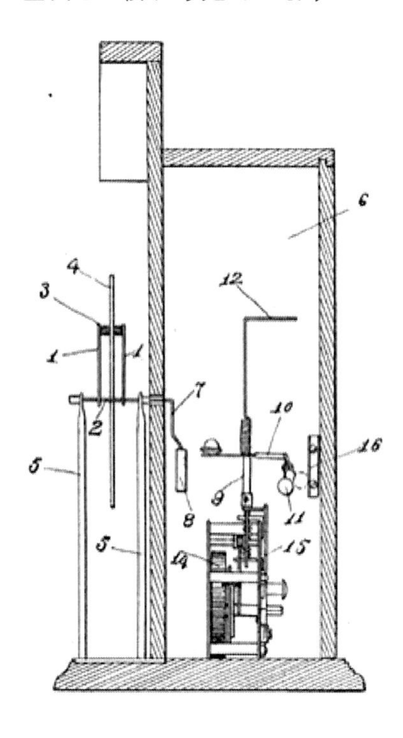

1:水兵さんの腕
2:鉄棒(軸)
3:支点
4:人形
5:鉄棒の柱
6:家の形のケース
7:L 字の折れ曲がり
8:水兵さんの重り
9:回転軸
10:水平アーム
11:丸い玉の重り
12:振り子ビーム

水兵さん（4）の腕（1）は鉄棒（2）と一体にしっかりと固定されており、肩に相当するのが支点（3）です。水兵さんの手が握っている鉄棒（2）は両側が柱（5）で支えられた軸になっており、軸の右側は家の形をしたケース（6）の中に入ってL字型に折れ曲がり、先端には重り（8）がぶら下がっています。こうして重り（8）の重さによって普段は水兵さんが鉄棒の上に腕を立てて伸びあがっています。

この発明の“おもしろポイント”は家の形のケースの中に隠されています。ただし、ケースの中でも下の方にある数字14や15などの四角い部分は重要ポイントではありません。この発明ではゼンマイの時計仕掛けですがモータで回してもよいのです。

“おもしろポイント”は、四角形のメカ部分の上にあります。横から見ると十文字に見える金具の構造に特徴があり、注目ポイントは水兵さんの鉄棒の重り（8）、図中の数字9、10、11、12、これらが動いた時に互いが係り合うカラクリです。

そのカラクリの詳細を読み解いてみましょう。図2をもう一度よく見ると、十文字構造の縦の部分の下半分は回転軸（9）です。回転軸の上端から左右に張り出す水平アーム（10）があります。アームの右端には丸い玉のような重り（11）が下がっており、反対側の左端にはバランスをとる重り（半円形。数字が書いてありません）が固定されています。回転軸（9）がゼンマイやモータの力で回るとどうなるか、アーム（10）と重り（11）の動きに着目してみましょう。これが「第一のカラクリ」です。

回転軸を回してみましょう。回転軸が回るとアームの先についている左右の重りには遠心力が働らき、重り（11）が外側に振られます。もっとスピードを上げると、重り（11）はもっと横に広がり、ついには水兵さんの鉄棒の重り（8）にガチンとぶつかります。この時の様子をケースの裏側から見たのが図3です。

■図3　家を裏側から見た図

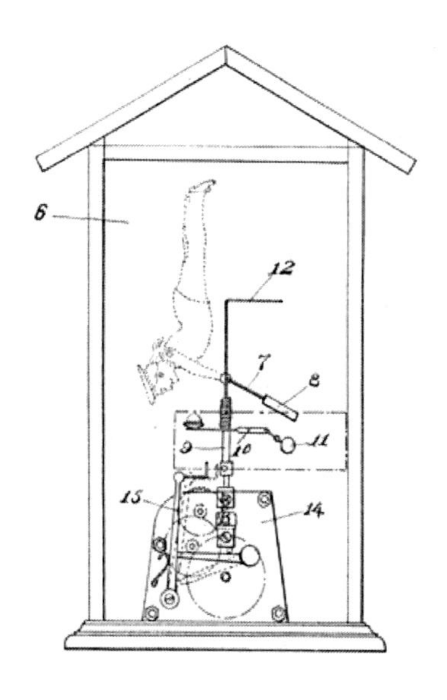

6:家の形のケース
7:L字の折れ曲がり
8:水兵さんの重り
9:回転軸
10:水平アーム
11:重り
12:振り子ビーム

重り（11）の玉が勢いよく鉄棒の重り（8）にぶち当たると、勢いで重り（8）は鉄棒の軸を中心にグルッと回り、水兵さんは図3の点線で書いてあるように鉄棒の上で宙返りをするのです。

回転軸（9）が回っている間、水兵さんは宙返りを繰り返し、体操を続けます。

つぎには第二のカラクリを発見してみましょう。十文字構造の水平アームの上の方を見てください。変なスプリングみたいなものが見えませんか。針金を20cmぐらいの長さに切って、片方の端を両手の手のひらで挟んでグルグルと回してみたことはありませんか。手のひらで抑えていない針金の先が、まるで縄跳びのように踊ります。

このおもちゃには数字で12と書いてある針金が十文字の上部についています。針金をコイル状に巻いたスプリングの先がL字状に折れ曲がっています。回転軸（9）が回るとL字の先端が首ふり運動を始め、バネの弾性で広がって回り、回転力をますます助勢するのです。

この“おもしろ発明”では、L字の針金が首ふり運動をして回転軸の回転を助成し、水兵さんの鉄棒体操を盛んにするというだけではない、もう一つの「なるほど」という仕掛けが組み込んであります。

首ふり運動が始まるとL字の針金が首を振り、ときには勢い余って鉄棒の重り（8）が上に回ってきたとき、L字の部分が重り（8）にぶつかります。

思いもかけないＬ字状の折れ曲り部分の反抗です。どうなりますか？家の形をしたケースの表面では水兵さんが鉄棒で遊んでいます。ところがケースの裏側を見てみると、そこでは回転軸（9）の周りでグルグル回る重り（11）の打撃を受けて鉄棒の重り（8）が水兵さんを逆立ちさせ、しかも、何かの拍子に、Ｌ字の針金が鉄棒の重り（8）にぶつかります。そうすると表面の水兵さんは鉄棒の体操中に、どこかで、ギクッと変な動きをすることでしょう。偶然が作り出す不思議な動きに、見る人はオヤッと思うはずです。これが「第二のカラクリ」です。

おもしろい動き

おもしろい動きとは、いったいどんな動きでしょう。扇風機の普通の首ふり動作や時計の秒針の正確な動きを見ても私たちは特別におもしろいとは思いません。もし、扇風機の首ふりが気まぐれに動き、秒針がスキップのように動いたらどうでしょう。アレッと思うのではないでしょうか。

おもちゃにはおもしろさという宝箱が隠れています。あなたの身の回りにもきっとある新しい「おもしろ」を探してみませんか？

遊び道具のカラクリ

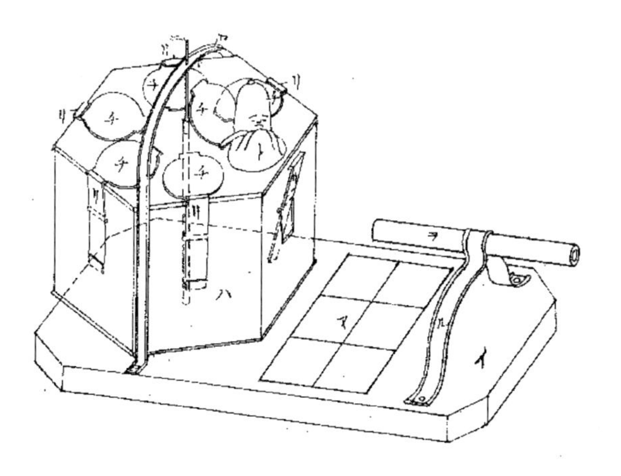

ゴムの伸び縮みで回す

特許第二〇二號

（明治二十四年五月十一日年限滿了ニ依リ特許權消滅）

第百十六類

出願　明治十九年四月十日
特許　明治十九年五月十二日
特許年限　五年

東京府小石川區小日向武島町二十二番地
特許權者　山本熊太郎

明細書

射的機械玩具

護謨紐ノ彈力ヲ利用シ歯留ニ藉リテ的ニ吹矢ノ中リタルトキ突然人物鳥獸等ノ圖象ヲ的上ノ孔ヨリ現出セシムヘク作レル新奇ノ玩具ヲ發明セリ之ヲ左ニ明解ス

此玩具ハ圖ニ示スカ如ク臺板(イ)ニ單箇ナル軸架(ロ)(ロ)二個ヲ備ヘ一端ニ回柄(ハ)ヲ附シ圓筒(ホ)及ヒ歯輪(ト)ヲ貫キタル軸(ニ)ヲ之ニ架シ圓筒(ホ)ノ一端ニ數個ノ腕(ヘ)(ヘ)(ヘ)ヲ附着シ腕端ニ人物鳥獸等ノ圖象ヲ貼附シ歯輪(ト)ノ歯數及ヒ位置ヲ腕(ヘ)(ヘ)(ヘ)ノ數及ヒ位置ニ適合セシメ又彈力アル曲尺形ノ曲折金屬片(チ)ノ本端ヲ前架(ロ)ノ下端ニ固着シ其曲處ニ突起(リ)ヲ設ケテ歯輪(ト)ノ歯ニ掛ケ歯留ノ用ヲナサシメ曲折片(チ)ノ末端ニ的(ヌ)ヲ附着シ圓筒(ホ)ト臺板(イ)ノ一方トニ護謨紐(ル)ヲ結着シ全部ヲ覆フニ紙織物又ハ木板ヲ以テシ之ニ種々ノ裝飾ヲナシ唯的(ヌ)ノミヲ露出セシメ其上邊ニ種々ノ形象ヲ現スヘキ孔(ヲ)ヲ設ケタルモノナリ

此玩具ヲ用フルニハ回柄(ハ)ヲ把リテ之ヲ右ニ一二轉スヘシ然ルトキハ護謨紐(ル)伸ヒテ圓筒(ホ)ニ捲附キ軸(ニ)ヲ逆回セントス然レトモ歯輪(ト)ニ歯留(リ)ノ掛リ居ルヲ以テ適宜ノ處ニ之ヲ止メ得ヘシ今吹矢ノ類ヲ以テ的(ヌ)ヲ打ツトキハ歯留(リ)ハ歯輪(ト)ノ歯ヨリ脫シ護謨紐(ル)忽チ牽縮シテ軸(ニ)ヲ逆回ス然レトモ曲折片(チ)ハ自己ノ彈力ニテ原位ニ復シ直ニ次ノ歯ニ掛ルヲ以テ的上ノ孔(ヲ)ニ現ハルヽ者モ前者ニ次クモノトス

此玩具ハ種々ノ異形ヲ現出スルヲ以テ甚タ小兒ノ目ヲ樂シマシムルノ益アリ

特許第二〇二號　三

ゴムの伸び縮みで回す

このおもちゃはゴムひもの弾力を利用した射的（しゃてき）です。吹き矢が的（まと）に命中すると、的と連動している六つの人物、鳥、動物などの絵柄が窓に現れる仕掛けになっています。

■図１　覆いを外して内部を見せています

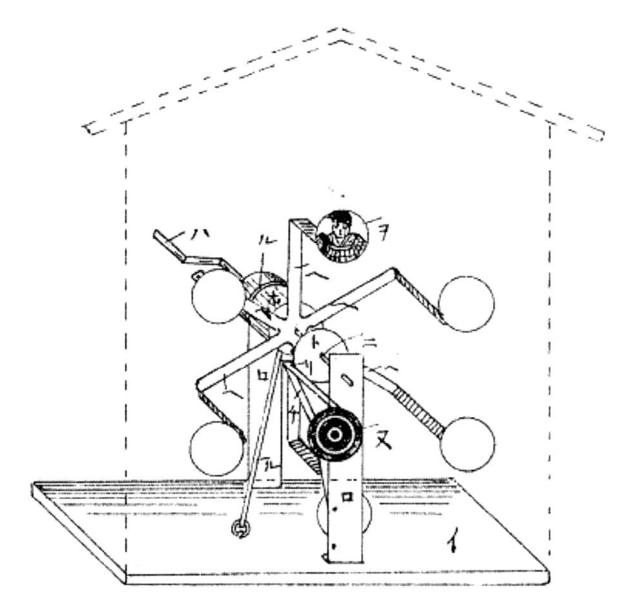

イ:板、ロ:支柱、ハ:ハンドル、ニ:軸、ホ:円筒、ヘ:回転アーム、ト:ラチェット円板、チ:バネ板、リ:突起、ヌ:的、　　ル:ゴムひも

図 1 は内部の構造です。家の形の前面パネルを外して内側を見せています。板（イ）の上に二本の支柱（ロ）を立て、手回しハンドル（ハ）で回す軸（ニ）を支柱に通します。軸の一番奥には円筒（ホ）が取り付けてあります。一端を板に固定したゴムひも（ル）を円筒に結わえつけ、ハンドルを回して円筒にゴムひもを巻き込みます。そして、軸にはタコの足のような回転アーム（ヘ）と小さな円盤に見えるラチェット円板（ト）の両方を取り付け、軸を回すと両方が一緒に回るようにします。

ところで、このラチェット円板（ト）にはチョッとした仕掛けが隠れています。その仕掛けを図 2 で読み解いてみましょう。ラチェット円板の裏面を見てみましょう。図 2 は明細書の特許図面を大きく拡大しているので画像の質が悪いですが、ラチェット円板（ト）の縁の裏側ですが、二か所に黒い三角の小さな爪が見えます。手前の的（ヌ）の裏面から斜めにバネ板（チ）が張り出し、先端は山折りにして突起（リ）を作り、この突起をラチェット円板の爪に引っかけています。

こうしておくと、ハンドルを回してゴムひもを円筒に巻き付けたあと、手を放しても、ラチェット円板の爪にバネ板の突起が引っかかり、ゴムひもの戻る力を食い止め、ラチェット円板の爪の場所ごとに回転アームも止まることになります。もちろん、的（ヌ）に吹き矢が当たればバネ板が曲がって突起が爪から離れるのでラチェット円板はクルッと回り、次の爪の部分で止まるという仕掛けです。

回転アームの先の丸い部分に鬼の顔や天女の顔を描いておき、家の外壁に丸窓でも開けておけば、射的として楽しめるというわけです。これが、この発明の工夫のポイントです。

■図２ バネ板と的（まと）、ラチェット板の係わり

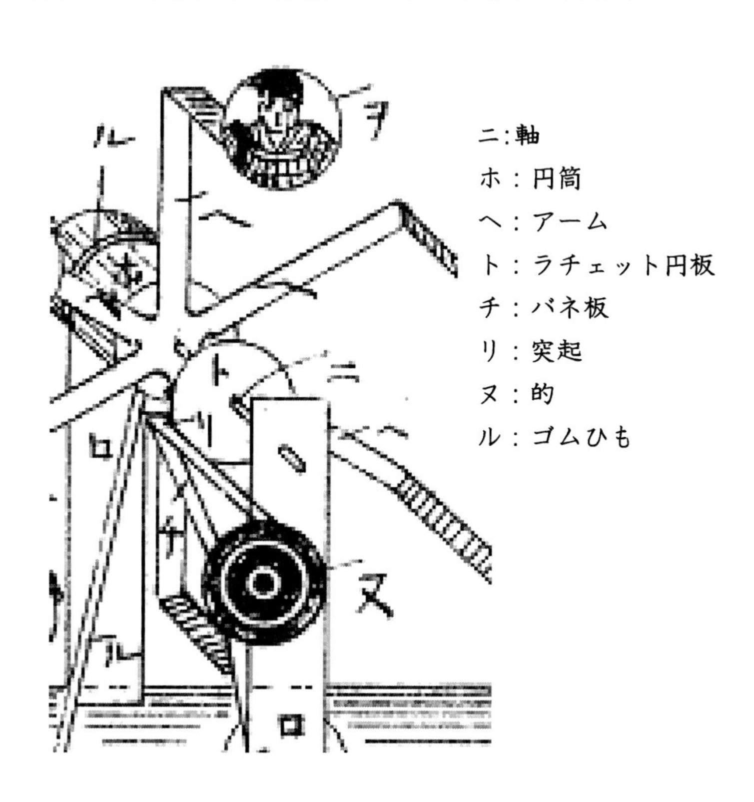

このおもちゃでの”おもしろ“は材料の弾性に着目しました。ゴムがもつ弾性が一つです。ゴムひもを引っ張れば、自分の長さの数倍も伸びます。ゴムが縮んで戻る力はゆっくりで、円筒は何回転も回ります。もう一つが、金属バネの弾性です。的を射られたらその瞬間に変形し、バネは爪から離れますが、すごいスピードで元に戻り、つぎの爪を待ちうけます。ゴムの弾性と金属の弾性、両方とも弾性を利用していますが、使い方には発明者の工夫が込められています。

★　☆　★　☆　★

ゴムの伸び縮みの力を利用するおもちゃは、むかしからパチンコやゴム風船、ゴム動力の飛行機など、いろいろあります。ゴムボールや輪ゴムもゴムの性質を使っています。

射的は、こども会の夏祭りや、もちつき大会などで今も人気の高い出し物の一つのようです。金棒を持った赤鬼のお腹にボールを当てると、赤鬼が金棒を上げ泣き叫ぶ遊具が古くから遊園地にはありました。

ところで、このおもちゃは、いろいろな顔を持っているようです。編者の一人は、このおもちゃから直感的に玄関のインターホンを思い浮かべたそうです。

お客様がボタンを押す。すると、お客様の顔が居間のモニター に映ります。「押す」と「映る」。この感覚が何となく脳裏に浮かんだのはなぜでしょう。

ワクワク感やビックリなど、ひとの感情に係る技術が注目されています。自動運転と手動運転が入れ替わるときにもビックリは生じます。ロボットが生活支援をするときにもワクワク感は大切です。モノのカタチだけではなく、変化するたのしさを工夫するなどの新しい発明を生み出すチャンスが増えているのかもしれません。

ゴム

ゴムは有名なコロンブスによって 15 世紀に発見されたと言われています。天然ゴムはゴムノキの樹液から作られています。最近は化学の力で造る合成ゴムがたくさん使われているようです。ゴムは弱い力でも 10 倍以上に伸びる不思議な性質をもった材料です。材料がもつ性質のことを「物性」といいます。ゴムの物性を調べてみるのもおもしろそうですね。

バネの力で飛び出す

特許第七九〇號

（明治二十七年十二月五日年限滿了ニ依リ特許權消滅）

第百十六類

出願　明治二十二年七月二十七日
特許　明治二十二年十二月六日
特許年限　五年

東京府淺草區馬道町六丁目十三番地
特許權者　芳野芳之助

九九

明細書

射的玩具

此發明ハ内部ニハ螺狀彈機ノ彈力ニ藉リテ常ニ扛擧セラレントスルノ傾ヲ有スル數種ノ象形ヲ藏シ上面及ヒ側面ニハ蝶鉸ヲ以テ開閉自在ナル樣取着ケタル蓋及ヒ押ヘ板ヲ備ヘタル筩ト象形ノ符號板ヲ設ケ且ツ射具ヲ備ヘタル玩具ニ係リ其目的トスル所ハ符號板ニ設ケタル符號ト適應スヘキ象形ヲ豫想シテ射出セシメ以テ其豫想ノ當否ヲ決スルニアリ

別紙圖面ニ於テ右ノ目的ヲ達スヘキ玩具ヲ示セリ即チ第一圖ハ一個ノ象形ヲ露出セシメタル場合ノ全體斜面第二圖ハ筩ノ内景ヲ詳ニスル爲メニ其一部分ヲ剖開シタル有樣ヲ示スモノナリ

右兩圖ニ於テ同シ符號ハ同シ部分ヲ示セリ

臺(イ)ノ上面ニ於ケル一端ニ近キ處ニハ鋎形ヲナセル支杆(ロ)ヲ取着ケ筩(ハ)ノ軸(ニ)ヲ支持シ自在ニ旋回スヘキ樣ナス筩(ハ)ハ多角壜形若クハ圓壜狀等適宜ノ形狀ニ作リ其内部ニ於テ周壁ニ近キ部分ニハ下部窄小シ上部ヲ擴張シテ中部ニ段階ヲ有スル筒(ホ)ヲ樹立ス此筒(ホ)内ニハ螺狀彈機(ヘ)ニテ扛擧セラルヽノ傾ヲ有スル數個ノ象形(ト)ヲ藏ス而シテ筩(ハ)ノ上面ニ於テ筒(ホ)ノ上口ト一致スヘキ部分ニハ孔ヲ穿チテ之ヨリ象形(ト)ヲ露出セシムヘクシ且ツ此孔ニハ蓋(チ)ヲ蝶鉸ヲ以テ取着ケ象形(ト)ヲ押ヘ止ムルノ用ニ供ス此蓋(チ)ノ一端ニハ突出部ヲ設ケ押ヘ板(リ)ヲ掛ケテ之ヲ止ムヘクナス此押ヘ板(リ)ノ上端ハ屈曲シテ蓋(チ)ニ掛ラシムヘクナシ中部ニハ軸ヲ附設シ其兩端ヲ筩(ハ)ノ側壁ニ設ケタル裁缺内ニ取着ケ其軸ヲ中心トシテ自在ニ動クヘキ樣ナシ下部ヲ推ストキハ筩(ハ)ノ内方ニ開

-1-

特許第七九〇號　九十九

バネの力で飛び出す

回転する六角形の箱の中にフタの付いた筒が設けてあります。吹き矢が金具に当たると、筒の中に入れた人形が飛び出す仕組みです。飛び出す人形を予想し、予想が当たったか外れたかで勝敗を決めるゲームです。

■図1　中からオバケがでたところです

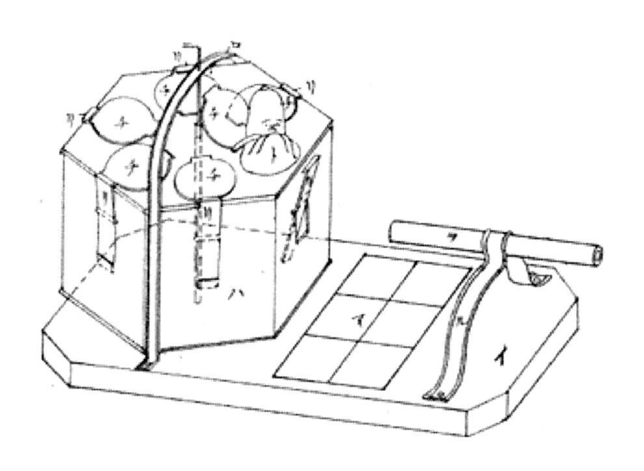

ハ:六角形の箱　ニ:軸　ホ:円筒　ト:人形
リ:ストッパ　ヌ:メモ帳　ヲ:吹き矢

図 1 は全体の説明図です。六角形の箱の壁に沿って六個の丸い筒がセットしてあります。一番手前の筒は蓋が外れ、中からオバケが顔を出しています。このおもちゃは、円筒の中に人形

をセットしておき、顔を出させる人形の順番を予想してメモ帳に書いておき、吹き矢をあてて人形を飛び出させ、その順番と予想の当たり外れを楽しむおもちゃです。

■図２　筒の蓋が開いて子グマが飛び出す

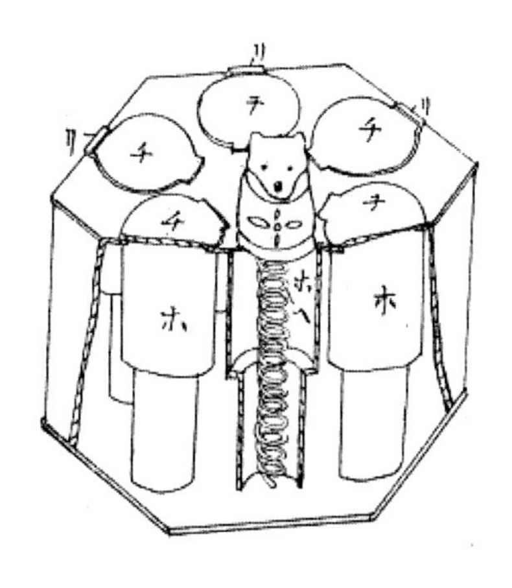

チ：蓋
リ：掛け金
ヘ：コイルスプリング
ホ：筒

筒の蓋（チ）には蝶番（ちょうつがい）がついており、蓋の先に掛け金（リ）が引っ掛かり、蓋を閉めて金具で止めておく構造です。図１によれば、この掛け金は中ほどが支えになり、下半分に吹き矢をあてると上の掛け金が外れる構造のようです。

図２によれば、筒の中の人形は蓋に押されてコイルスプリング（ヘ）を押し込み、筒（ホ）の中にしまわれており、蓋を抑える掛け金が外れれば、スプリングの力で外に飛び出すようになっています。

★　☆　★　☆　★

このおもちゃを読み解いて、潜水艦から発射するミサイルを連想しました。吹き矢が当たって金具を押します。金具が傾き、止金が外れます。止金が外れると蓋の動きは自由になります。それまでは、筒の中で上からは蓋で、下からはスプリングで、上下から押さえられてクマちゃんが押し込められています。止金が外れた蓋を押しのけてクマちゃんがスプリングの力で勢いよく外に飛び出します。

おもちゃはたくさんの部品が集まってできています。おもちゃでは、安全で、しかも、だれもが使えるように、一つひとつの部品の形や動きが念入りに工夫されています。

同時に、ここで紹介したおもちゃの場合でも、いくつもの部品を組み合わせ、次々に順番で動く一連の連係動作が見どころです。アクションを演出するおもしろさです。

竹のしなりを使う

特許第一九七四號

（明治三十六年六月十五日年限滿了ニ依リ特許權消滅）

第百十六類

出願　明治二十六年二月十日
特許　明治二十六年六月十六日
特許年限　十年

京都市下京區富小路通四條下ル徳正寺町二十二番戸
特許權者　清水勝藏

明細書

玩具（開閉自在）

本發明ハ轆轤狀ノ筩ニ短冊狀ナル小片ヲ貫聯シ之ヲ體トシテ全體ニ開閉ノ作用ヲ生セシムヘク爲シタルモノニ係リ其目的トスル所ハ動植物等諸種ノ形狀ヲシテ開閉ノ作用ヲ生セシムルニ在リ

別紙圖面ニ於テ其詳細ヲ示ス即チ第一圖ハ本器具ヲ莟ニ利用シテ花ノ莟ニ裝置シタル所ノ全體斜面圖第二圖ハ花ヲ開綻シタル所第三圖ハ其裝飾ヲ解除シテ本發明ノ全體ヲ示シタル所第四圖ハ之ヲ分離シタル骨ノ圖ヲ示ス右諸圖ニ於テ同符號ハ同部分ナリトス

本發明ハ木竹金屬紙綿等ノ適當物質ヲ以テ作ルモノニシテ轆轤(い)ハ長圓形中空ナル筩ニシテ其周側ノ中央以上ニ於テ内部マテ貫キタル縱溝(と)(と)ヲ穿チ又金屬薄版ノ長方形ナル小片(ろ)(ろ)ノ一端ニ二小孔(り)(ぬ)ヲ縱ニ並ヘテ穿チ其上部ヲ彎形部ト下方ニ小孔トノ中間ヲ捻曲ケテ上部ヲ平面ニ下部ヲ側面ニ向ハシメ之ヲ轆轤ノ縱溝(と)(と)ニ嵌合シ細線(ち)ヲ以テ小孔(り)ニ通シ轆轤外部ノ上邊ニテ貫聯結着シ小片(ろ)(ろ)ハ輕易ニ開閉シ恰モ傘轆轤ト骨トノ如キ關接ヲナサシメ而シテ小片(ろ)(ろ)ハ花瓣轆轤(い)ハ莟ニ裝飾ス又小孔(ぬ)ニハ絲條(ほ)(ほ)ヲ結着シ其端末ハ轆轤ノ空間ニ集束ス轆轤ノ空間ニハ竹管(を)ヲ挿着シ絲(ほ)(ほ)ヲシテ其管中ヲ貫通垂下セシメ又竹片ノ彈弓(に)ヲ作リ其一端ハ轆轤ノ側部ニ定着シ他端ハ絲(ほ)ヲ結着シテ屈伸ノ用ニ備フルモノトス但シ此開閉自在ナル構造ハ敢テ花形ノミニ限ルニ非ス或ハ動物其他ノ形狀ニ裝着スルコトモアルヘシ

本玩具ハ彈弓(に)ヲ屈撓シ絲條(ほ)弛緩スレハ骨(ろ)(ろ)ハ自ラ重力ニテ外方ヘ傾斜スルニ依リ花瓣(は)(は)開綻シ又彈弓ヲ伸張スレハ忽

特許第一九七四號　五十三

竹のしなりを使う

竹は軽くて弾力があり、長持ちするので竹かごや竹串など、いろいろな日用品の素材に使われています。よく撓う（しなう）ので加工もしやすく、竹ひごを細工しておもちゃを作るのも中々たのしいものです。ここでご紹介するのは、つぼみが開き花が咲くお洒落なおもちゃです。

花びらの付け根の部分、花びらと茎（くき）の間にある太い緑色の部分を萼（がく）と呼びます。このおもちゃは竹細工のおもしろさを感じる“おもしろおもちゃ”です。

■図１　ツボミを付けた全体図です

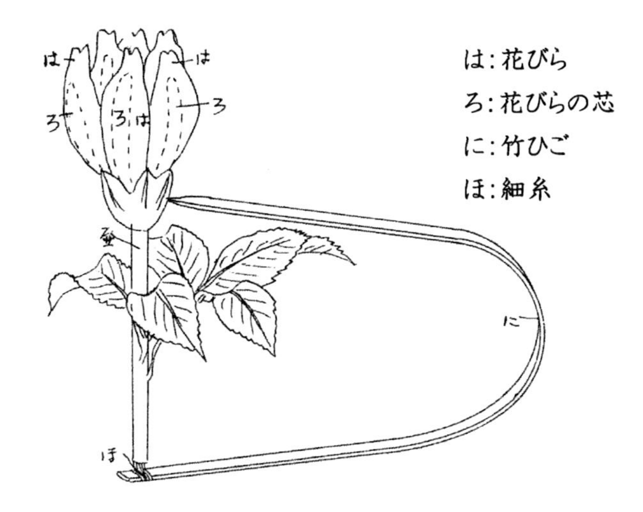

このおもちゃを作ってみましょう。まず、図 1 の茎にあたるパイプを作ります。長さが10センチぐらい、太さは1センチより細いパイプがよさそうです。図 1 では“へ”の旧かな文字が書いてありますが、漢字「偏」をくずした明治時代のひらがなです。つぎに萼（がく）を作ります。図 2 の「い」の部分は真ん中に糸を通す穴をあけ、花びらを差し込むスリット（と）と、リング状に萼（がく）に花びらを糸留めするための溝をぐるりと切り込みます。

■図2　萼（がく）と花びら

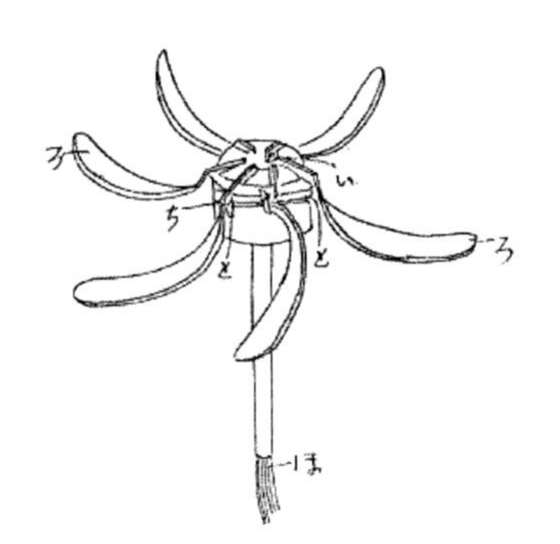

い:萼(がく)
ろ:花びら
と:スリット
ち:留め糸
は:引き糸

花びらの形は図3を参考にしてください。

■図3　花びら

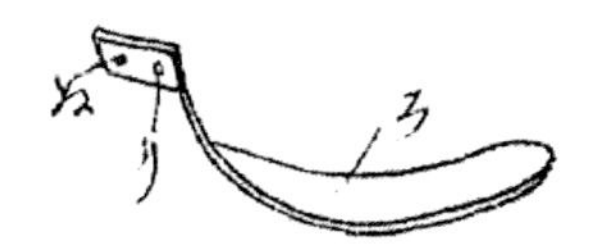

ろ:花びら
ぬ:引き糸用の穴
り:留め糸用の穴

そのあと、図 2 のように萼（がく）のスリットに花びらを差し込んで糸で縛ります。このとき、あらかじめ飾る数だけの花びらの穴に糸を通して花びらの輪を作ります。糸を通す穴は、図 3 にある花びらの根元の小さな穴（ぬ）です。花びらを萼（がく）のスリットに差し込んで、輪にした糸を溝に縛っておきます。花びらのもう一方の穴（う）に糸を通し、糸の端はパイプに通して下に引き出しておきます。この糸の端を竹ひごに結び付け、バネの力で糸を引くと花びらが閉じ、竹ひごを手で押さえると、図4のように花が開く構造です。

■図４　花が開きました

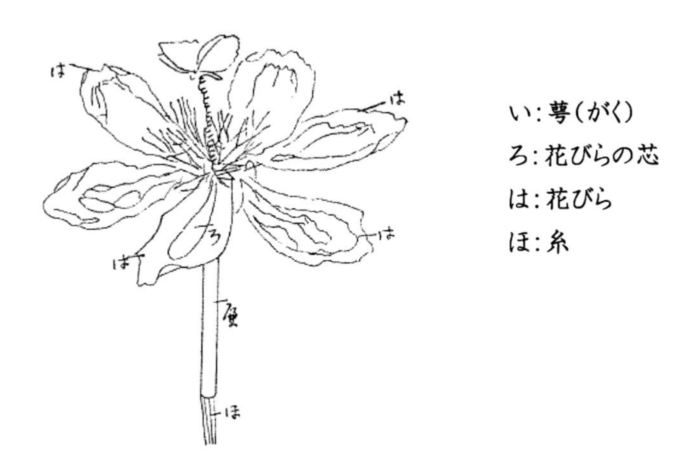

花の開閉に限らず、糸を使って動かす仕組みはギフトカードなどに使えそうですね。

ゼンマイを使う

第一一五六六號　第百十六類　明細書

出願　明治三十九年九月三日
特許　明治四十年二月二日

東京市本所區南二葉町四十二番地本籍
東京市本所區兩國元町三番地寄留　木塲佐吉
東京市本所區向島須崎町七十一地地本籍
東京市京橋區鎗屋町九番地寄留　中川秀爾

玩具

本發明ハ上下兩半部ニ分割シテ互ニ關着シ且ツ閉合鎖錠セシメ其鎖錠ヲ外ツスヤ直チニ上半部ヲ躍ネ起シテ開口スヘクナシタル卵殼ト卵殼內ニ設ケ卵殼ノ開口スルト同時ニ「ゼンマイ」仕掛ニ依テ兩翼ヲ連續羽打セシメ嘴ヲ開閉セシムルト同時ニ發聲セシムヘク作リタル雛鳥ノ形骸トヨリ成ル玩具ニ係リ其目的トスル兒童ノ遊樂ニ供セントスルニアリ

別紙圖面ノ第壹圖ハ本發明ノ縦斷側面圖第貳圖ハ卵殼ノ下半部ノ平面圖第參圖ハ卵殼ノ開キタル樣ヲ示セル縦斷側面圖ニシテ異ナリタル鎖錠手段ヲ示シ第四圖ハ嘴ノ分解側面圖ナリ圖中同一符號ハ同一部分若クハ均等部分ヲ示ス

本發明ハ卵殼(1)ヲ作リ其長徑ニ沿フテ上下兩半部ニ分割シ且ツ其後端內面ニ於テ互ニ蝶着ス而シテ其蝶着串上ニハ螺狀彈機(2)ヲ纏ヒ着ケ其端部ハ卵殼(1)ノ上半部內面ニ沿フテ突出セシメ其壓力ニ依テ開口セシムルモノトス第壹圖第貳圖若クハ第參圖第四圖ニ示ス如ク卵殼(1)ノ前端ニ於テ上半部ノ內縁ヨリ突起(3)ヲ突出セシメ下半部ノ內面ニハ鈎杆(4)ヲ關着ス鈎杆(4)ハ第壹圖第貳圖ノ如ク關着點ノ後方ニ定着セル螺狀彈機若クハ第參圖第四圖ノ如ク其關着串上ニ設ケタル螺狀彈機ノ力ニ依テ卵殼ヲ閉合セルトキ鈎杆ヲシテ突起(3)ニ掛合鎖錠セシム卵殼(1)ノ內面ニハ匣(5)ヲ設ケ匣(5)ニハ軸(6)(7)(8)(9)ヲ設ク軸(6)ニハ齒輪(10)ヲ定着シ軸(7)ニハ齒輪(10)ニ嚙合スヘク齒輪(11)及齒輪(11)ト一體ナル輪版(12)ヲ緩着シ棘齒輪(13)及把手(16)ヲ定着ス而シテ齒輪(11)ト輪版(12)トノ間ニハ「ゼンマイ」(14)ヲ設ク「ゼンマイ」(14)ノ外端ハ齒輪(11)ニ內端ハ軸(7)ニ定着ス又匣(5)ノ下版ニハ掣子(15)ヲ設ケ棘齒輪(13)ニ掛合セシメテ軸(7)ノ反對回轉

三十五

ゼンマイを使う

ゼンマイ仕掛けで卵の殻が割れ、ひな鳥がくちばしを動かしてピーピーと鳴き、羽根をせわしく動かします。

■図1　側面から見た内部の構造

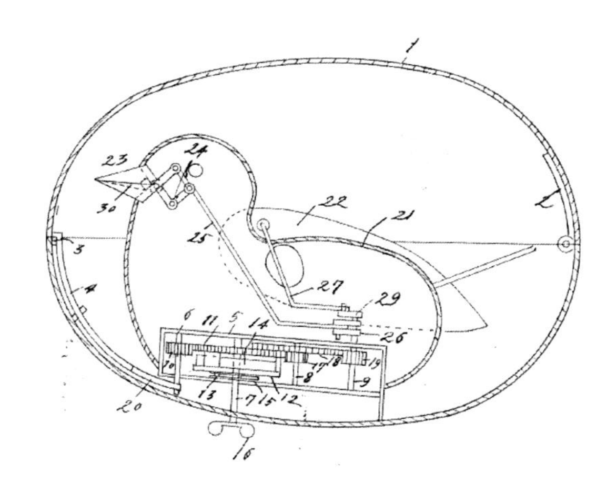

1:卵の殻
2:スプリング
4:フック
14:ゼンマイ
26:クランク
29:クランク

卵の殻（1）はスプリング（2）付きの蝶番（ちょうつがい）を使って貝殻のように上下に開く構造にしておきます。そして、殻を閉じてフック（4）を引っ掛け、卵型にしておきます。

ゼンマイ（14）が回り始めると歯車が動き、フックが離れると蝶番のバネの力で殻の上半分がカパッと跳ね上って殻が開く仕組みです。

■図２　歯車部分の上面図

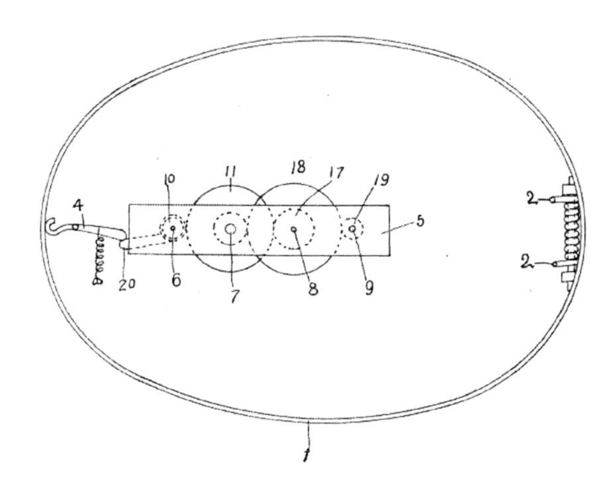

1：卵の殻
2：スプリング
4：フック
6：軸
10：歯車
7：軸
11：歯車
8：軸
17、18：歯車
9：軸
19：歯車

殻の内側には図２のように四本の軸（6、7、8、9）に支えられた五つの歯車（10、11、17、18、19）が組み込まれており、軸（7）の歯車（11）にはゼンマイが仕込んであります。ゼンマイが動くと歯車（11）が反時計回りに回り、歯車（10）が時計回りに回ってレバーを動かし、フックを跳ね上げる仕組みです。

歯車は歯が一つずつ噛み合って回ります。大小の歯車を組合わせると、大きな歯車を回転させて小さな歯車を何倍も多く回すことができます。歯車（11）より右側の歯車（17）は小さいので歯車（11）の何倍も多く回ります。歯車（17）と歯車（18）は同じ軸の歯車ですから歯車（18）もたくさんまわり、歯車（19）はもっと何倍も回転することになります。つまり、歯車

（11）が回転する何倍の、そのまた何倍も速く歯車（19）を回転させることができます。増速器ですね。

歯車を組み合わせて回転を速めるのはなぜでしょう。図 3 にその答えが書いてあります。右端の歯車（19）はゼンマイの歯車（11）に比べて何倍の、その何倍もの速さで回ります。歯車（19）の軸（9）の先にはクランク（26、29）がついています。クランクが高速で回り、クランクについているくちばしのアーム（25）と羽根のアーム（27）がすごい速度で前後に動きます。

■図 3　クチバシの仕組みです

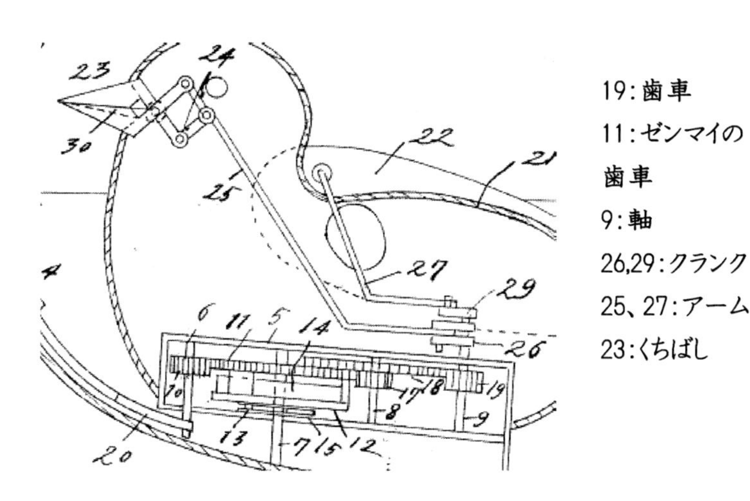

ところで、くちばし（23）の口元はひな鳥の顔の部分に固定されています。くちばしのクランク（25）が前後に動くとパンタグラフが働いてくちばしがパクパクと開閉します。同時に、

くちばしの中に取り付けてあるフイゴ型の笛が伸縮し、ピーピーと鳴き声を上げます。図4がその仕組みです。

■図4　クチバシの仕組みです

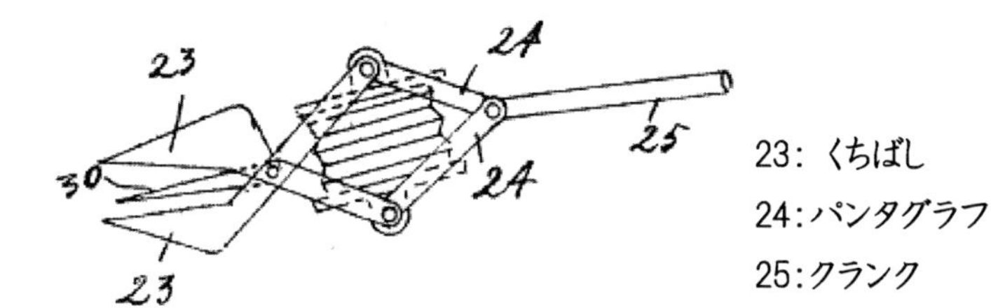

また、羽根のクランクも同時に高速で前後に動き、ひな鳥が激しく羽根を震わせている様子をみせるという仕組みです。

このおもちゃはゼンマイ仕掛けで数段の歯車を働かせてフックを開け、殻を開けてひな鳥が声を上げ、羽根を羽ばたかせるというさまざまな動作を演出しています。

ところで、図5は卵の殻を開けるフックです。図1とは異なる別な構造を発明者が描いた図です。残念なことに図の構造や動作の説明は明細書には全く抜け落ちており、明細書では図5を「第参図」とし、「第参図は・・・異なる施錠手段を示し・・・」と書いているだけです。

そこで、図5をよく見てみるとフック（4）が「く」の字状に折れ曲がる部分に小さな丸が描いてあります。これがフックの軸に違いありません。図 1 ではフックの軸は卵の殻に垂直に立ててあり、図 5 は明らかに異なっています。それでは、くの字型フック（4）を動かして殻を開けるのにはどんな構造を考えればよいでしょうか。ゼンマイ仕掛けの歯車（図 2 の 11）が動きます。図 5 の軸（6）をどう利用しましょうか。数字 120 とは何でしょうか。V 型の溝が切ってあるのでしょうか。図から読み取ると軸（6）を中心にして回転するみたいです。不思議だらけの図ですが解き明かしてみませんか。

■図 5　卵の殻が開いたところ

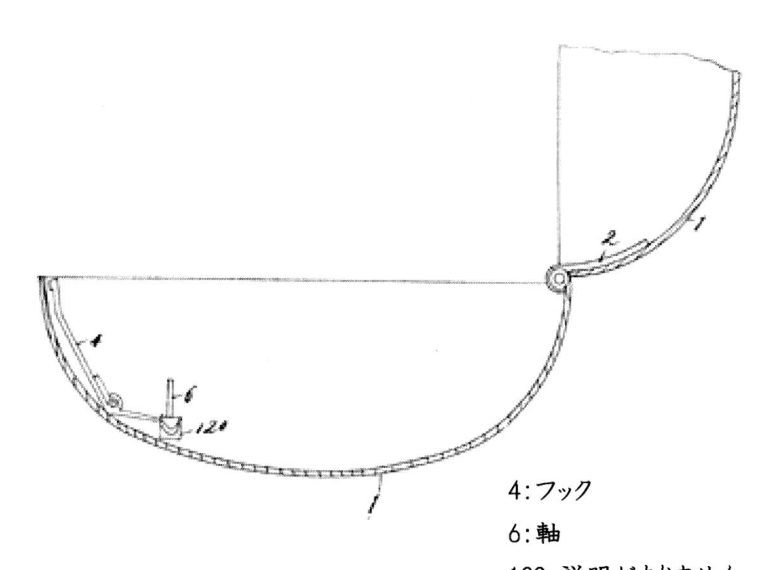

振動を伝える

第五六一六號　明　細　書

出願　明治三十四年七月十五日
特許　明治三十五年八月二十日

玩具「デンワ」

本願發明ハ一方ニ有テハ玩具ニ用ヒ一方ニ有リテハ室内ニ於テ之ヲ實用ニ供シテ世ニ裨益セント欲スル玩具ニ關ス

此發明ハ發聲器ト受聲器ト別器ヲ用ヒズ只一器ニテ使用スルコトヲ得ルヲ以テ口ニテ談話シ後耳ニ該器ヲ持行クガ如キ不便利ナク談話シツヽ先方ノ談話ヲ聽ク事ヲ得ルヲ本願ノ目的トス

本願發明ノ構造ハ木造ニシテ聽管器(は)(は)幷ニ送話管(と)ハ管護謨ヲ用ヒ又擬造鼓膜(ろ)ハ絹ニ竹紙ヲ以テ裏付ケシタルモノヨリ成ル止金(に)(に)ハ竹ヲ以テ製ス甲所ヨリ乙所ニ達スル絲(ほ)ハ絹絲ヲ用ヒ此絲ヲ鼓膜(ろ)ノ中眞ニ取付ク送話管ヲ取リ付クル線(ち)ハ針金ヲ用ヒ其針金ニ添フテ通ジタル絲(り)ハ麻絲ヲ用フ此絲(り)ノ始メニアル結ビ玉(る)ハ鈴ノ上部(を)ニ懸ケ引絲ノ緩マザル爲トス又鈴(ぬ)ノ取付ケアル(わ)ハ適宜ノ場處ニ釘ニテ打チ付クル金具又曲所(か)ハ平常用ヒザル時ニ第一圖發聲器(い)ヲ懸ケ置ク處トス

使用ノ方法第一玩具トシテ隨意ノ場所ニテ之ヲ使用スル時ハ第一圖第二圖ノミヲ用フ卽チ第一圖ニ示スモノト第二圖ニ示スモノトヲ組付ル時ハ止金(に)(に)ニテ止メ一器トナル今之ヲ使用スルニハ同器ヲ甲乙ノ所ニ置キ先ツ甲乙トモ第一圖聽管器(は)(は)ヲ耳ニ嵌絲(ほ)ヲ甲所ヨリ乙所ニ達セシメ甲發聲スベキ喇叭管(い)ヨリ談話スレバ乙ハ聽管器(は)(は)ヨリ談話ヲ聽キ取ルコトヲ得又同ジク乙ニテハ其マヽ直チニ談話スレバ甲聽取ル事ヲ得甲言ヒ乙答ヘ斯ノ如クシテ全ク同所ニテ對話スルニ異ナラズ第二之ヲ室内ニ應用セントスル時ハ第二圖ニ示スモノヲ取リ外シ第三圖ニ示スモノヲ第一圖ニ示スモノニ當テ嵌メ一器トナス甲乙兩所ニ同器ヲ備ヘ置ク此時ハ第四圖ノ如クシテ管ヲ甲所ヨリ乙所ニ達セシメ先甲ヨリ談話セントスル時ハ第一ニテ言フ如ク第一圖(は)(は)ヲ耳ニ嵌メ用意ヲナス夫ヨリ其管護謨ニ添フタル麻絲(り)ヲ引キ乙所ノ鈴(ぬ)ヲ鳴ラシム乙之ニ應ジテ甲ノ如ク用意ヲナシ互ニ談話スル時ハ第一圖ニ述ベタルガ如ク甲言ヒ乙答ヘ對談スルニ異ナラズ故ニ本發明ハ最モ簡單ナル裝置ニ依リテ

振動を伝える

ご紹介する“おもしろ発明”は糸電話です。糸電話を知っていますか。糸電話は簡単に作れるおもちゃです。使い終わったトイレットペーパの巻き芯を使って糸電話の電話機が作れます。

■図1　糸電話の仕組み

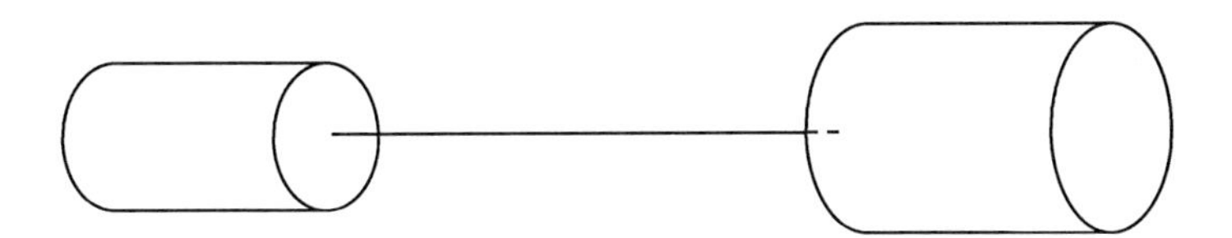

二つの巻き芯を用意し、両方とも、片方の口には薄紙をピーンと張ってノリで封をします。薄紙は薄くて硬いパラフィン紙のような紙が適しています。柔らかいティッシュなどは使えません。巻き芯電話機の電話線になるのが糸です。糸は 2m ぐらいの長さでいいと思います。巻き芯に貼った薄紙の中央に糸の端っこをしっかりと着けますが、薄紙の中央に糸の端を接着剤でチョンと接着すれば OK です。接着剤が固まれば糸電話のできあがりです。

糸の両端の電話機を引っ張りながら糸をピーンと張り、片方の巻芯の中に大声で話しかけてみます。もう一方の巻芯を筒に耳をあてると話し声が聞こえます。ピーンと張らないと声は伝わりません。でも、強く張りすぎると薄紙が破れるので、力のかけ具合には用心が必要です。

ところで、このおもちゃの発明を明治 34（1901）年に生んだ藤岡大音さんは、この発明のことを、おもちゃの「デンワ」とカタカナで書いています。ところで、糸電話の仕組みを探る前にホンモノの電話機はいつごろ生まれたのでしょう。電話機のはじまりを探ってみましょう。

アメリカ人グラハム・ベルが発明した電話機の仕組みを図 2 に示します。米国特許 174,465 の図面の最後に載っている図です。ベルは 1876（明治 9）年 3 月に特許を取得し、これが世界で最初だと言われています。

■図 2　グラハム・ベルの発明の図面です

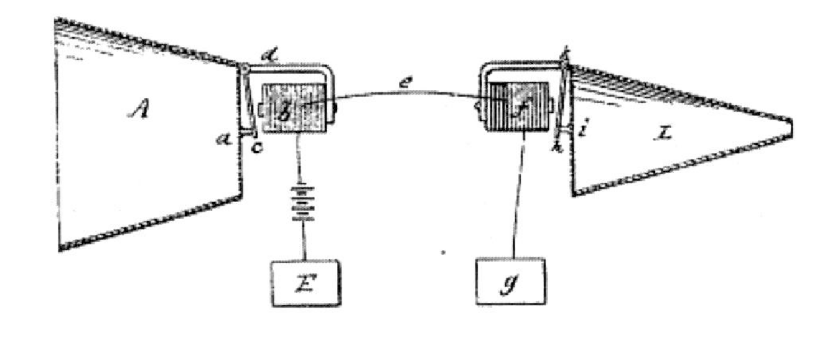

ベルの電話機は、送信側のコーン A によって集めた声や音楽を膜 a の振動に変え、膜の振動をコイル b に伝え、コイルが電気信号に変換して電 e 線を通じて電気信号を受信側に送り、受

信側のコイルｆが膜ｉを振るわせて空気の振動に変換し、声や音楽を聞こえるようにしています。コイルの音量が余程に小さかったのか受信側のスピーカが先細りになって音を集めるイヤホーンのようなカタチをしているのは注目です。まだ、スピーカが無かった時代の工夫です。

さて、糸電話に戻りましょう。この糸電話は電気を使わず、糸が振動を伝えて話し声を相手に伝えるデンワです。しかも、話しかけと聞きとりの二つの動作を一度に同時にできるように工夫したので、おもちゃだけでなく、普段の生活の中でも実用に使える発明なのだと発明者の藤岡さんは主張しています。

■図３　デンワの仕組み

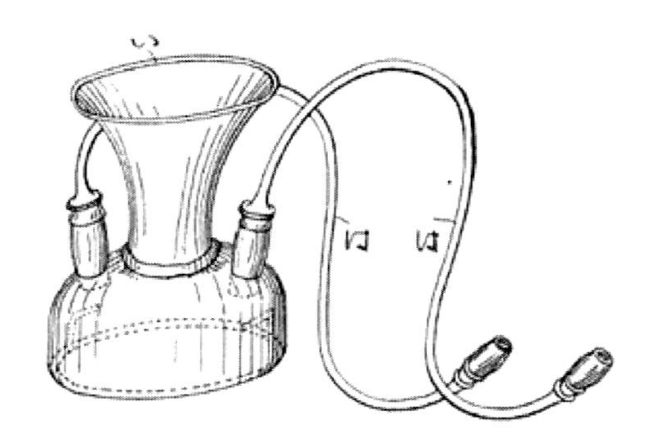

い:マイク部
は:イヤホーン部

図３の図面で「い」と書かれているラッパ状の口が現代で言う送話用のマイク部、「は」と書かれているのがイヤホーン部です。中空のチューブでできているようです。

■図４　糸の仕組み

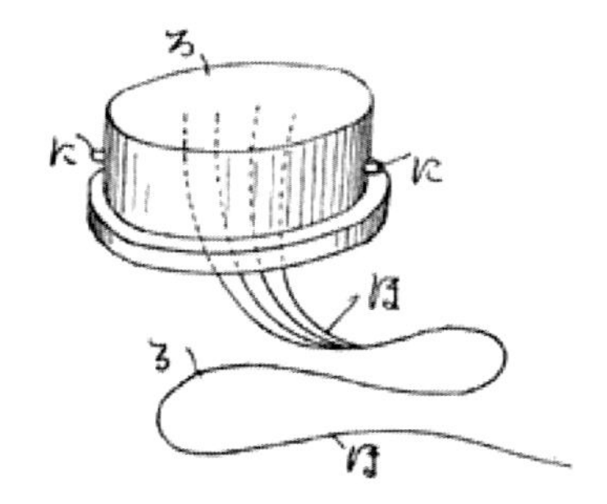

ろ:薄紙
に:引っかける爪
ほ:糸

図４が手作りの糸電話で薄紙を貼って糸を接着した部分です。図３の「い」のラッパ部分に、下から図４の「ろ」の薄紙部分を差し込み、「に」と書いてある爪を使って一つに組み立てています。なお、薄紙には四本の糸が接着してあります。一本が切れても使える工夫です。糸は絹糸を用いるとあります。

このおもちゃのデンワを使うときは、先ず、耳にイヤホーンを差し込みます。つぎに両方のデンワをつなぐ糸をピーンと張りながら、ラッパに向かって話しかけます。相手も同じようにします。いままでの糸電話は電話機を口に付けて話をし、終わったら耳に当てて相手の話を聞くという動作でしたが、話をしながら相手の声も聞くという同時の対話ができると言う訳です。

★　☆　★　☆　★

さて、当時の電話機は振動を電気の信号に変え、信号の強弱を電線で伝えるアナログ方式でした。電話機の前は、電信機です。電信機はトン・ツー方式とも言われ、信号があるかないか、その時間を変えて符号を送るモールス符号で信号を伝えていました。デジタル方式です。

そして現代、私たちが日常に接している携帯電話やパソコン、ＣＤなどもデジタル方式です。現代はデジタル時代だとも言われています。

アナログとデジタル。それぞれの長所と短所を考えてみるのもおもしろいですね。

ところで、このおもちゃの糸電話は電気を使いません。藤岡大音さんが「電話」と呼ばず「デンワ」としたのも、電気を使わないのに電話とは変だねと、こんなことが理由かも知れませんね。

電話

ところで、我が国では電話機は 1890（明治 23）年ごろから使われ始めたようです。ベルの発明から 14 年遅れですが案外に早く電話機が普及し始めたと言えそうです。国内だけでなく海外の動きにも敏感であることの大切さは、当時も今も変わりがないようです。

水を使うおもちゃ

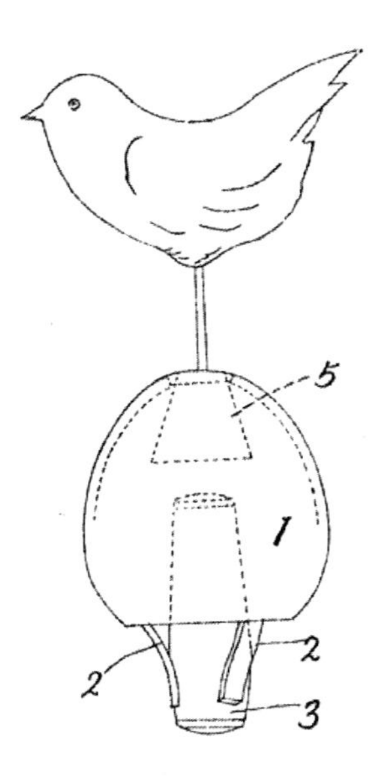

アワぶくで浮かぶ

二

第一五七四四號　第百十六類

出願　明治四十一年十二月二十一日
特許　明治四十二年二月二十四日

北海道檜山郡江差町大字姥神町十八番地本籍
東京市神田區仲猿樂町六番地寄留
關川常介

玩具

本發明ハ瓦斯受內ニ瓦斯發生器ヲ支持シ瓦斯受ノ頂部ニ穿設セル孔ニハ自働的ニ開閉スヘキ瓣ヲ裝附シ發生瓦斯ヲ瓦斯受內ニ集散セシムヘクナシタル玩具ニ係リ其ノ目的トスル所ハ全體ヲシテ絕ヘス自働的ニ水中ニ浮沈セシムルニ在リ

別紙圖面ハ本發明ノ構造ヲ例示セルモノニシテ第壹圖ハ縱斷正面圖第貳圖ハ橫斷平面圖第參圖ハ瓣ノ形狀ヲ變更シタル正面圖ナリ以上諸圖ニ於テ同一符號ハ同一若クハ均等部分ヲ表スモノトス

冠狀瓦斯受(1)ニハ支片(2)ヲ設ケテ瓦斯發生器ヲ受(1)內ニ支持セシム瓦斯發生器ハ塗油紙布若クハ金屬版等其ノ他適宜ノ耐水資料ニテ筒狀被套(3)ヲ作リ該被套(3)內ニ酒石酸若クハ枸櫞酸等其ノ他水分ノ浸滲ニ依リ瓦斯ヲ發生スヘキ適當ノ資料ヲ封入シタルモノナリ而シテ瓦斯受(1)ノ頂部ニハ孔(4)ヲ穿設シ該孔(4)ニハ自働瓣(5)ヲ裝附ス自働瓣(5)ハ瓦斯受(1)カ水中ニ沈降スルニ當リテハ孔(4)ヲ閉塞シ水面ニ浮揚スルニ當リテハ孔(4)ヲ開放セシムヘク設計セルモノニシテ其ノ構造ハ第壹圖ニ示ス如クナスモ或ハ又第參圖ニ示ス如クナスモ任意トス

本玩具ヲ使用スルニハ先ツ瓦斯發生器ノ被套(3)ノ頂部及ヒ底部ニ細孔(6)(7)ヲ穿チ(場合ニ依リテハ被套ニ豫メ細孔(6)(7)ヲ穿設スルモ可ナリトス)之ヲ瓦斯受(1)內ニ插入シテ支片(2)ニテ保持セシメタル後全體ヲ水中ニ投入スルモノトス然ルトキハ玩具全體ハ徐々ニ沈降スヘク同時ニ水ハ細孔(7)ヨリ被套(3)內ニ浸入スルヲ以テ瓦斯ハ發生シ其ノ發生セル瓦斯ハ細孔(7)ヨリ被套(3)內ヲ逸出シテ瓦斯受(1)內ノ頂部ニ集積スヘシ斯クシテ沈降セル玩具全體ハ瓦斯ノ浮泛力ニ依リ漸次上昇スヘク而シテ水面ニ浮揚スルヤ瓣(5)ハ自働的ニ下降シテ孔(4)ハ開放スルヲ以テ集積セル瓦斯ハ受(1)外ニ放出セラレ同時ニ水ハ其ノ空位ヲ充スヲ以テ玩具全體ハ再ヒ沈降スルニ至ルヘシ此ノ作用ヲ反覆

十二

-1-

アワぶくで浮かぶ

お風呂に入るときに固形の入浴剤を使ったことがありますか。浴槽にお湯をためて入浴剤を入れると、たくさんの泡とともに花の香が湯船にひろがり、カラダも温まります。この泡を出すのが発泡剤です。

このおもちゃは、いまから百年以上も前、明治 41（1908）年に東京・水道橋の近く、今の千代田区猿楽町に住んでいた関川常介さんが発明して特許を取りました。今から百年以上昔ですから、もちろん特許権はとっくに消滅しています。

■図 1　全体を横から見ています

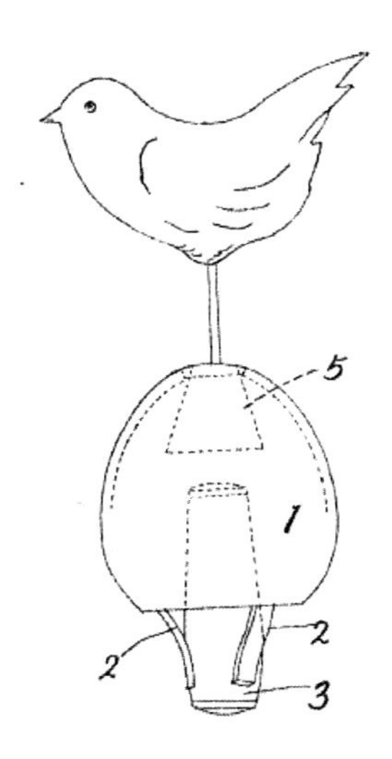

1:浮き
2:薄板
3:筒

卵の殻のような形をした浮き（図１では数字の１と書かれています）の上に、水鳥がちょこんと乗っています。浮きの平らな底の中央には上の方に向かって丸い筒（3）が差し込まれています。筒の側面を少し斜面にしていますが、このように円柱の側面を斜めに加工することを「テーパを付ける」といいます。テーパを付けるのは、太い筒を浮きの中に突っ込みやすくするためです。浮きの平らな底面には、円筒を固定するためのベロのような薄板（2）が付けてあります。多分、バネのように筒を押さえ込んでいるのでしょう。

さて、浮きの内部を断面図で見てみましょう。図２は心臓部の仕掛けを示している断面図です。

■図２　仕掛けを示す断面図です

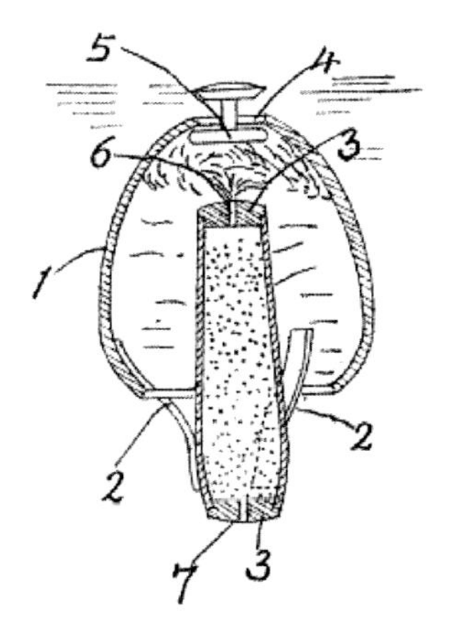

図２に描かれているのは、浮き（1）が水中に浮かんで頭をチョコッと出している様子です。浮きの中にも水が入っており、筒（3）は上下が蓋（ふた）で締めてあり、蓋には小さな穴（6、7）が開いています。そして、筒の内部に点々で描かれた物質が詰まっています。しかも、上にある蓋（6）をよく見ると、穴からガスが噴き出しています。浮きのてっぺんには数字の５と書いてある「エ」字形の弁がついています。数字の４は弁（5）が取り付けてある大きめの穴です

このおもちゃの“おもしろポイント”は二つあります。一つ目の“おもしろポイント”は、筒の中に点々で描かれた物質と噴き出すガスです。もう一つの“おもしろポイント”は浮きのてっぺんに設けてある「エ」の字型の弁の動きです。

第一の“おもしろポイント”を探ります。明細書によれば、筒の内部について、「・・・被套（3）内に酒石酸もしくはクエン酸等のほか、水分の浸滲によりガスを発生すべき適当の資料を封入したるものなり」とあります。酒石酸はベーキングパウダー（膨らし粉）などとしてパンやケーキをふんわりとさせる成分です。クエン酸はレモンや梅干しに含まれるすっぱい成分です。この化学物質を水に浸すと炭酸ガスが噴き出します。たしかに図２にはガスが筒の上部の蓋の穴から水中に噴き出している様子が描かれています。

明治時代に、酒石酸やクエン酸と水が化学反応して発泡することは知られていたにしても、専門的な化学反応をおもちゃの発明に取り入れていることにビックリです。「化学おもちゃ」の発想のチエの柔らかさは、化学に強い我が国の原動力なのかもしれません。

第二の“おもしろポイント”は、浮きのてっぺんにある「エ」の字の弁です。この弁のカラクリを追いかけてみます。時間を追って読み解きましょう。

最初に浮きを水中に沈めてみます。すると、筒の上下から水が蓋の小さな穴を通して筒の中に入り込みます。すると酒石酸などの化学物質と水が反応し、筒の中では炭酸ガスが発生します。この炭酸ガスは筒の上部の蓋に開いた小さな穴から水中に勢いよく噴き出します。こうなると、炭酸ガスが浮きの上部に溜まっていきます。溜まった炭酸ガスは浮きの内部から弁を押し上げ、内側からの圧力で弁が大きめな穴をふさぎます。

■図３　炭酸ガスが内部から弁を押し上げる

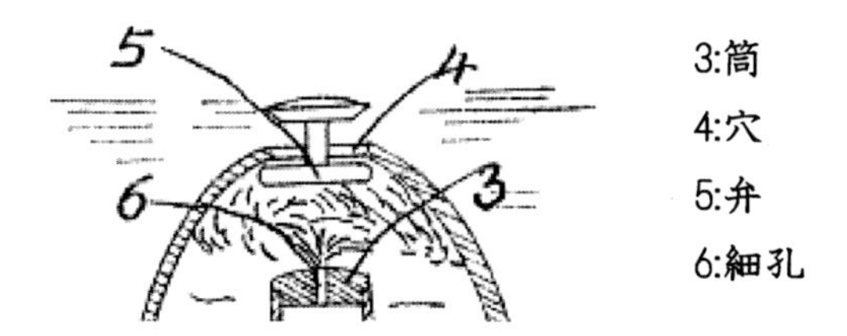

こうして浮きの内部に炭酸ガスが充満し、浮きは浮力を得てプカプカと水面に浮き上がります。さて、水面に浮きが浮き上がると、どうなるでしょうか。

■図４　浮き上がると弁の重さで弁が下がる

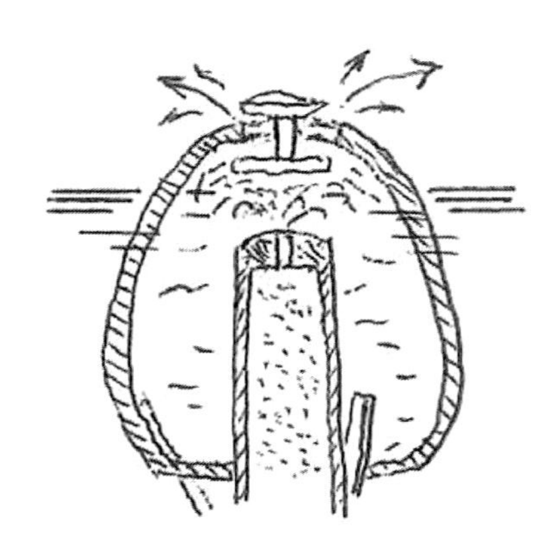

浮きが水面に頭を出すと弁は自分の重さで下に降ります。その結果、大きな穴と弁の隙間が開くのです。そして、そこから炭酸ガスが外に噴き出します。ガスが噴き出してしまうと、浮きを浮かせていたガスがなくなるのですから浮きは浮力を失い、浮きは再び水の中に沈みます。水中に沈むと・・・。

そうです。最初に浮きを水中に沈めたのと同じに戻ります。このおもちゃは水面に浮かんだり沈んだりを繰り返すのです。おもしろいおもちゃです。現代の入浴剤もお湯との化学反応で発泡するのですが、なんだかもっとたのしくできそうですね。

◆◇◆化学反応を確かめてみました◆◇◆

小さめのペットボトルに半分くらい水を入れ、ボトルの口から酒石酸を含む台所用洗剤を入れてみました。写真 1 では洗剤を水に入れたところ、写真 2 では泡がさかんに噴き出してペットボトルから外に漏れ出している実験の様子です。

■写真1　洗剤を水に入れます　写真2　泡が噴き出しています

このような化学実験には必ず専門知識がある指導者に実験の様子を見てもらいましょう。

特許権は国が発明に対して独占を認める知的な財産権です。発明を生んだ人はだれでも特許願を出願することができます。特許庁が内容を審査しますが、いくつかの条件を満たしていれば、特許を認めてもらうことができます。特許権に似たものに実用新案権もあります。

特許は発明を独占する権利ですから、どんな発明なのか周りの人が理解できるよう、発明の内容を文書にして説明する必要があります。この発明の明細を説明するための文書が明細書と呼ばれる書類です。

本書は明治から大正時代にかけての特許を題材に使っています。当時の明細書には旧漢字やカナが使われておりますが、本書では、ご紹介する発明の扉としてそれぞれの特許の明細書の第一ページを掲載しています。

鹿威し（そうず【添水】）

第七九六六號　明細書

出願　明治三十六年十二月十日
特許　明治三十七年十一月五日

玩具

此發明ハ貯水槽ヨリ頻繁滴下スル少量ノ水重ニヨリテ人形ノ首頭四肢等ヲ速ニ働カシノ此等ヲ作動セシメ了リタル水カ一定量ニ達スル毎ニ他ニ装置セル各種ノ假面類ヲ徐々ニ變化セシムヘクシテ成ル玩具ニ係リ其目的トスル所ハ少量ノ水ヲ使用シテ長時間自働的ニ運動セシメ得ルノ便利アルノミナラス一定期間各部ノ運動ヲ繼續セシムル毎ニ他ノ一部ヲ運轉變化セシムルノ特色アラシムルニ在リ

別紙圖面ハ本發明ヲ一種ノ玩具ニ應用シタル有樣ヲ示スモノニシテ其第一圖ハ全体ノ縱斷側面圖第二圖ハ一部ノ正面圖ナリ但シ此兩圖中同符號ハ同部分ヲ示スモノトス

本發明ニ使用スヘキ舞臺別紙圖面ニハ之ヲ省略ス）ノ意匠並ニ人形ノ多寡形容等ハ種々變更スルモノナレハ爰ニハ煩ヲ避ケ一箇ノ人形カ首頭ヲ俯仰シツヽ双手ニテ太鼓ヲ打チ其後方ナル高塔上ニハ四種ノ假面カ順次廻轉變化スヘキ一種ノ玩具ニ就テ説明スルモノトス

高塔(イ)ノ前方ニ於テ高塔(イ)ト一体ヲナシテ竪立セル臺函(ロ)ヲ設ケ臺函(ロ)ノ工部ニ貯水槽(ハ)ヲ具ヘテ其底ニ漏水管(ホ)(ホ')(ホ'')ヲ取付ケ槽(ハ)ノ上壁ニハ該管ニ相當スル部分ニ切缺(ト)ヲ設ケ此切缺ヨリ栓(チ)(チ')(チ'')別紙圖面ニハ一ノ栓(チ)ハ露出セス)ヲ各管(ホ)(ホ')(ホ'')ニ挿嵌シテ該各管ヨリ少量ノ水ヲ滴下セシムヘクシ切缺(ト)ニハ屋根棟ニ象トリタル蓋ヲ施シ管(ホ)(ホ')(ホ'')ノ各直下ニ相當スル位置ニハ横杆(ヌ)(ヌ')(ヌ'')ノ各一部ニ定着セル水承皿(ル)(ル')(ル'')ヲ臨マシメ中央ノ横杆(ヌ)ノ臺函(ロ)外ニ突出セル一端ニハ人形ノ首(ヲ)ヲ定着シ函(ロ)ノ一部ヲ支點トシテ常ニハ首(ヲ)ノ重力ニテ他端ナル水承皿(ル)ヲ仰起セシメ管(ホ)ヨリ水承皿(ル)ニ水ノ滴下スル毎ニ水力ハ首(ヲ)ノ重力ニ勝チテ首(ヲ)ヲ仰起セシムヘクシ其左右ナル横杆(ヌ')(ヌ'')ハ首(ヲ)ノ俯仰運動ニ直角ノ方向ニ廻動セシムルヲ要スルニヨリ其一定所ニ直角ニ設ケタル腕(ワ')(ワ'')ニ水承皿(ル')(ル'')ヲ定着シ函外ニ突出セル一端ニハ抱(カ)ヲ持スル人形ノ腕ヲ各自ニ定着シ水ノ滴下スル毎ニ廻動シテ太鼓ヲ打タシムヘクシ此等ノ水承皿(ル)(ル')(ル'')上ニ滴下シ去レル水ハ其下方ニ設ケタル水盤(ヨ)ニテ受ケ留メ水盤(ヨ)ハ後

鹿威し（そうず【添水】）

鹿威し（ししおどし）を知っていますか。「そうず」ともいうようです。竹筒に水を注ぐと重さで反転した竹筒が石に当たる音が響き、案山子（かかし）などを含む総称です。ご紹介するのは水が仕掛ける人形と太鼓のチョッと変わった発明です。

■図１　タンクの水で鹿威しが動く

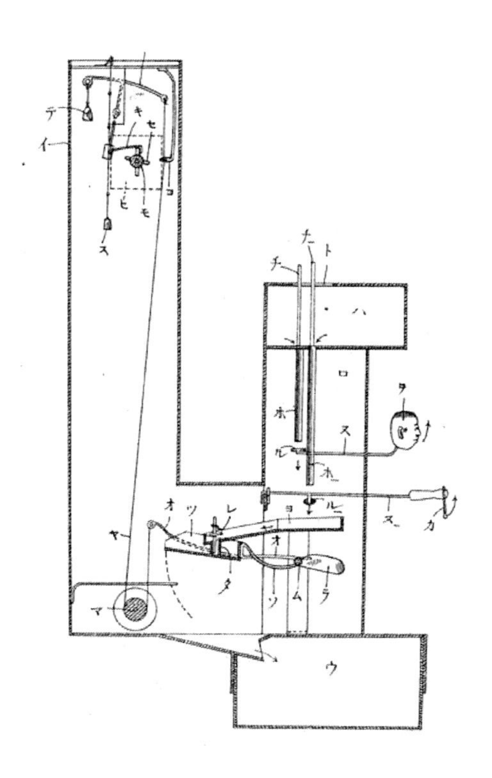

ハ:タンク
ホ:管
ル:受皿
ロ:外箱
ヌ:棒
ヲ:人形
カ:バチ

図 2 はタンク（ハ）の水が管（ホ）からポタポタと受皿（ル）に落ちる拡大図です。第一の鹿威しの仕掛けは水滴で人形（ワ）が動きます。

■図 2 第一の鹿威しの仕掛けで人形を動かす

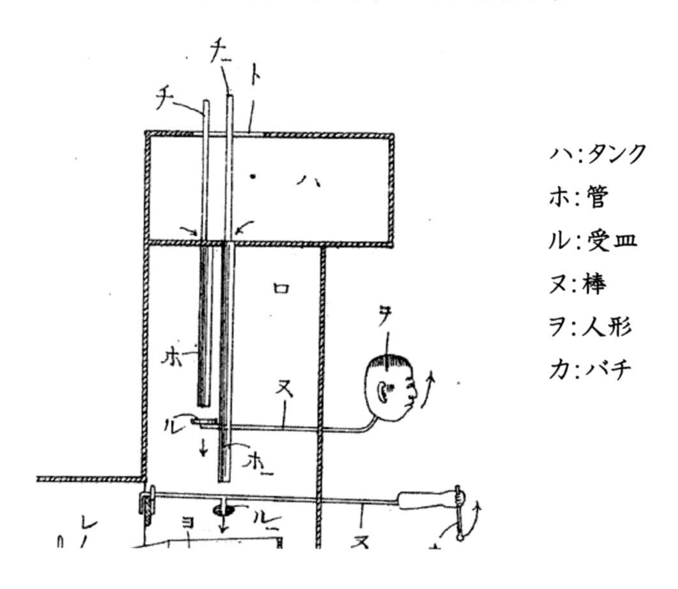

管（ホ）の下には水滴を受ける受皿（ル）があります。受皿（ル）は棒（ヌ）の左端にあり、外箱（ロ）の壁が支点になって右の人形（ヲ）と重さがバランスしています。壁と受皿の棒の長さと、壁から人形の棒の長さの違いは天秤の原理です。

水滴が受皿に溜まるとバランスが崩れ、受皿は傾き、人形は上を向きます。同時に受皿（ル）の水が流れ落ち、人形は再び正面を向きます。水滴が落ちる間、人形のコックリ運動は続きます。

つぎは第二、第三の鹿威しの仕掛けです。人形の手がバチを動かし、図には描かれていませんが、太鼓を叩きます。図 3 は正面から見た説明図です。真ん中は第一の鹿威しの人形を動かす受皿と棒の断面です。

■図 3 正面から見た左右の手の動き

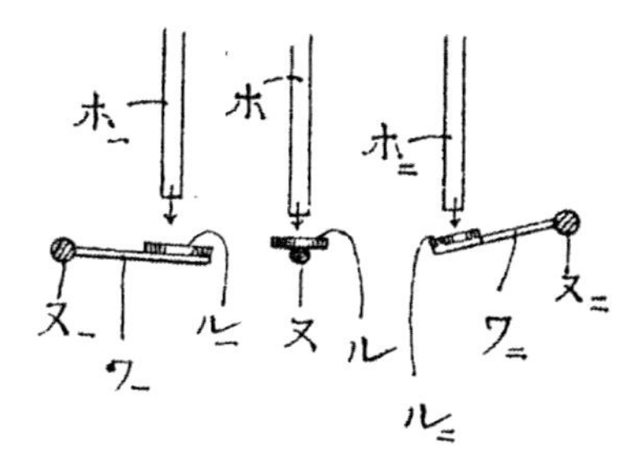

図面では受皿に「ル一」、「ル二」と左右に分けて小さく漢数字が書き添えられています。棒（ヌ）や枝（ワ）も同様です。しかし、本書では左右を分けず、受皿を「ル」、棒を「ヌ」といたします。

図 3 の第二、第三の鹿威しの仕掛けでは、棒（ヌ）の断面が黒い丸で描かれており、左右の棒（ヌ）から枝（ワ）が横に張り出し、枝の先に受皿（ル）が載っています。つまり棒（ヌ）

は人形の場合のように傾くのではなく、棒の黒丸が回転する軸となって枝の先が下がる構造です。確かに図 2 を見ても棒（ヌ）の左端は壁で支えられ、右手は壁で支えられる構造です。第一の鹿威しの仕掛けとはチョッと異なる工夫です。

水滴が受皿に落ちる前は、受皿（ル）は軽く、バチ（カ）は重いので、図 2 のようにバチ（カ）は下向きに垂れ下がっています。この状態で受皿（ル）が水平になるようセットしておきます。これが水滴を待ち構える状態です。

水滴が落ちて受皿（ル）に溜まると、受皿（ル）は重くなり、枝（ワ）が傾いて棒（ヌ）も回転します。棒が回転すれば図 2 のバチ（カ）も回転して上に向き、バチを振り上げた状態になります。そして、受皿も傾きます。溜まった水も流れ落ちます。受皿は軽く、バチは重ので、瞬時にバチは太鼓の上に振り下ろされ、バンバンと音が鳴るという算段が読み取れます。しかも、この受皿とバチの運動は水滴が流れる間、自動に繰り返します。

この“おもしろ発明”には、さらに第四の鹿威しの仕掛けが仕込まれているのです。第一と第二、第三の鹿威しの仕掛けでは三つの受皿（ル）から水が流れ落ちます。この水を無駄にしないために受皿（ル）の下には水受け（ヨ）が用意されています。

第四の鹿威しの仕掛けは、受皿（ル）からこぼれた水は水受け（ヨ）に集まり、矢印のように弁（レ）から大皿（ツ）に注がれます。大皿（ツ）は変なカタチの支持具（オ、ソ）の左端にあり、右端には重り（ラ）がついて軸（ム）で支えられ、バランスが取られています。水が大皿にたまると点線のように軸を中心にして傾き、ここにも天秤の原理が活かされていました。

■図 4 第四の鹿威しの仕掛け

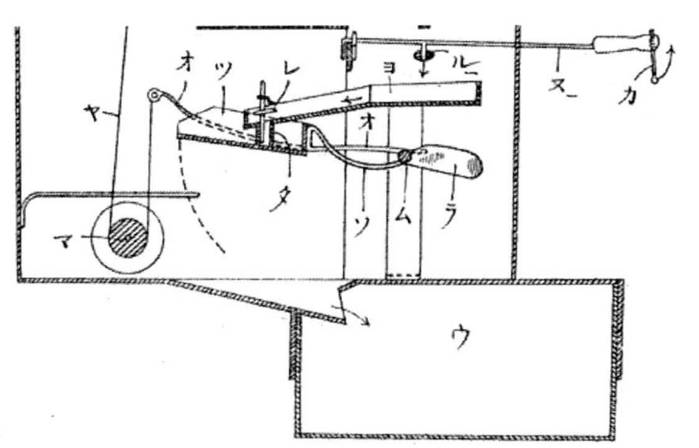

ル：受皿
ヨ：水受け
レ：弁
ツ：大皿
ム：軸
ヤ：紐

図 1 の左側に背の高い搭屋（イ）が立っています。この搭屋の中には破線で描いた回転盤（ヒ）があり、大皿（ツ）が傾いて紐（ヤ）が緩むと回転盤が回ります。T 字型の帆柱のところにも更なる天秤の原理が隠されているようです。ぜひ、読み解いてみませんか。

水車で鯉が滝登り

特許第三六一號

（明治三十年六月二日年限滿了ニ依リ特許權消滅）

第百十六類

出願　明治十九年十一月十六日
特許　明治二十年六月三日
特許年限　十年

東京府日本橋區蠣殼町一丁目四番地
特許權者　松井總兵衛

明細書

水力應用玩具

水車ト彈機ノ方便ニ籍リテ假魚ヲ昇降セシメ且ツ下方ニ噴水管ヲ備ヘテ恰カモ鯉魚ノ瀑布ヲ昇ル如キ觀狀ヲ爲サシメタル新奇有益ノ玩具ヲ發明セリ左ニ之カ正確ナル說明ヲナス

此玩具ハ臺ヲ除クノ外全體金屬ヲ以テ製スルモノニシテ別紙第一圖ハ其全體ヲ示シ第二圖ハ其要部ヲ示セリ即チ第一圖ニ示スカ如ク臺ノ表面ニ金屬版(イ)ヲ貼附シ金屬版(イ)ノ上ニ二個ノ管(ロ、ハ)ヲ樹テ該兩管ヲ連續スル爲メニ其上部ニ近キ處ニ支管(ニ)ヲ設ケ且ツ管(ロ)ノ上端ニハ圓筒狀ノ水槽(ホ)ヲ備ヘ又管(ロ)ノ支管(ヘ)ノ一端ニハ方形ノ箱(ト)ヲ附着シ其兩側ニ圓孔ヲ穿チテ杓子狀ノ水受ヲ備ヘタル水車(チ)ノ軸(リ)ヲ架シ軸(リ)ニハ第二圖ノ如ク細管(ヌ)ヲ軸(リ)ノ周圍ニ少シク力ヲ加ルトキハ容易ニ回轉シ得ル樣ニ嵌メ且ツ一端ニ近キ處ニ金屬片(ル)ヲ縱ニ附設シ金屬片(ル)ニハ一端ヲ直線ニ伸シタル螺狀彈機(ヲ)ヲ横着ス而シテ管(ヌ)ニ結合スルニ下端ニハ假魚(カ)ヲ附着シテ箱(ト)ノ底ノ孔ヲ通シタル紐(ワ)ノ上端ヲ以テス又支管(ヘ)ニハ屈曲セル支管(ヨ)ヲ設ケ管(ヨ)ヨリ流下スル水ハ水車(チ)ノ水受ケニ落チ入ル如クシ管(ハ)ニモ亦上方ニ屈曲セル支管(タ)ヲ設ケ管(タ)ノ先端ニ小孔ヲ穿チテ水ヲ噴出スヘカラシメ且ツ其噴出セル水ヲ受クル爲メニ管(タ)ノ屈曲セル處ニ盥(レ)ヲ備ヘタルモノナリ

場合ニ依リ管(ハ)及支管(ニ)ヲ省キ支管(タ)ヲ直ニ管(ロ)ノ下部ニ接續スルコトアリ

此玩具ヲ玩フニハ水ヲ水槽(ホ)ノ内ニ汲ミ入ルヘシ然ルトキハ水ハ先ツ管(ロ)ノ内ニ落チ轉タ支管(ヘ)及(ヨ)ヲ通シテ水車(チ)ノ水受ケニ流下

水車で鯉が滝登り

水車の回転に誘われて鯉が滝を登る、そんな感じのおもちゃです。鯉の滝登りを読み解いてみましょう。

■図１　全体図です

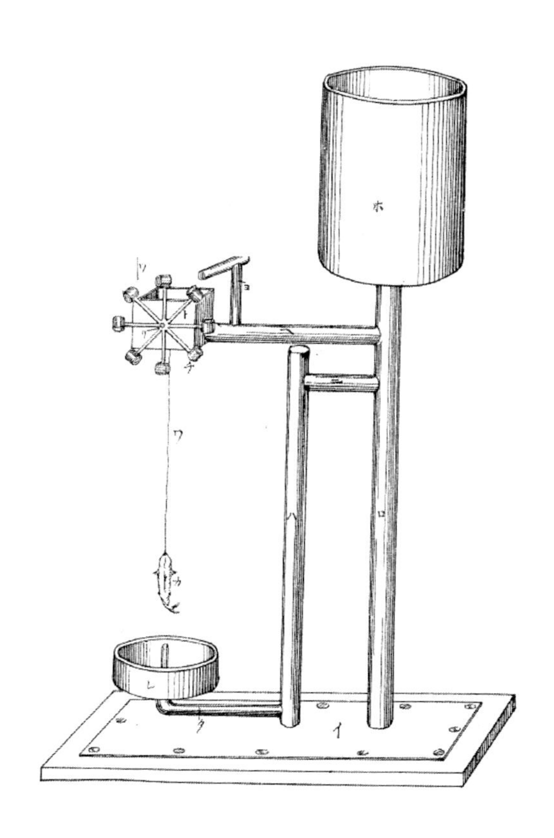

ホ:タンク
ロ:パイプ
ニ:連通パイプ
ハ:パイプ
へ:パイプ
チ:水車
ト:水車ケース
ヨ:噴出口
ワ:糸
カ:鯉
タ:噴水
レ:皿

タンク（ホ）の水は、パイプを通って下にある皿（レ）から噴水となって吹き上げます。同時に水はパイプ（へ）を通って噴出口（ヨ）から流れ落ち、水車（チ）を回します。

図 2 は水車ケース（ト）の内部構造を示しています。ケースの中には鯉を吊り上げる糸（ワ）を巻き取るリール（ヌ）、リールが回る軸がセットされています。図には描かれていませんが軸（リ）には図１の水車がついています。

この発明の“おもしろポイント”はケースの一か所に取り付けられたバネ（ヲ）です。

■図２　水車のと糸、バネを示します

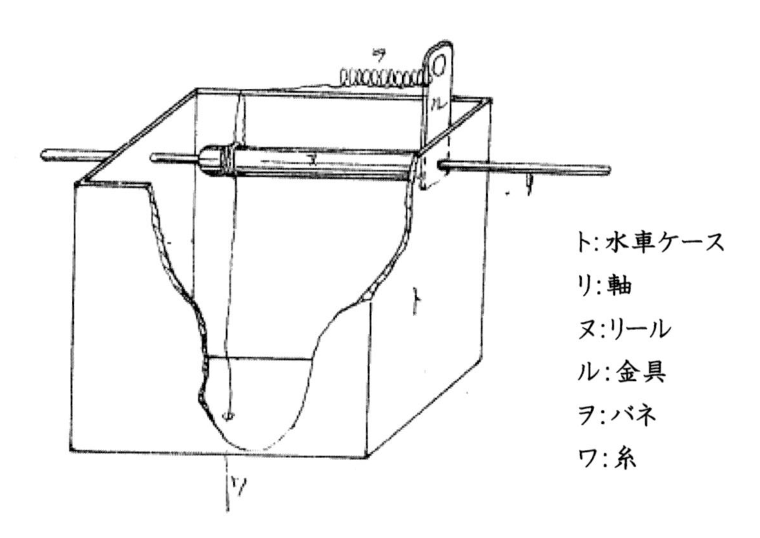

バネ（ヲ）は片側を金具（ル）に固定します。反対側はブラブラの状態にしておきます。鯉を吊るした糸をブラブラのバネに引っかけておきます。そうなると鯉の重さで糸はピーンと張られ、リールも糸の引っ張りを受けて軸に押し付けられ、軸が回るとリールも回る状態です。

水車が回ると軸が回り、リールも回ります。リールが回ると糸がリールに巻き取られ、鯉は上に登ります。鯉の滝登りです。そして、ついに鯉が登り切って水車ケースの裏面にぶつかると、さあ、どうなるでしょう。

水車は回り続け、リールは糸を引っ張ります。でも水車ケースの底に鯉が当たって邪魔になり糸は引くことができません。そうなると糸の張力がバネに一挙にかかり、バネが曲がります。バネが曲がると、そこはチョンと引っかけただけの糸ですから、簡単にバネから外れます。バネから糸が外れると、それまでは糸の張力で軸に抑えつけられてきたリールもブランブランになり、カラカラと空回転。とたんに鯉はまっさかさまに滝壺に落ちるというカラクリです。

ものすごく簡単な構造で意外な動きをたのしむ。これこそ“おもしろ発明”の本当におもしろいところです。

ゴムの弾力で尾びれを振る

特許第一八五九四號

第百十六類

出願　明治四十三年二月二十一日
特許　明治四十三年九月二十六日

東京市淺草區北富坂町十八番地
特許權者(發明者)　長田仙之助

明細書

水中泳玩具

發明ノ性質及ヒ目的ノ要領

本發明ハ捲手ニ附シタル護謨線ノ彈力ニ依リ「ラチエット」輪ヲ廻ハシテ尾ヲ搖動セシメ以テ自働的ニ體ヲ水中ニ游泳セシムヘクナシタル泳玩具ニ於テ「ラチエット」輪及ヒ尾等ノ支持框ヲ護謨線ヲ被護セル管ノ後端ニ對シ拔挿自在ニ裝置シタル構造ニ係リ其ノ目的トスル所ハ護謨線ノ切斷シタル場合ニ當リテ容易ニ之ヲ取換ヘ或ハ接合シ得ヘカラシムルニ在リ

圖面ノ略解

第一圖ハ本發明泳玩具ノ縱斷正面圖、**第二圖**ハ同上發明要部ノ斜面圖ナリ

發明ノ詳細ナル説明

魚體(1)ノ尾端ニ於テ軸(2)ニ依リ支持框(3)ニ對シテ搖動自在ナルヘク尾(4)ヲ遊架シ軸ノ上下兩部ニ爪(5)(5)ヲ設ケ護謨線(6)ノ捻扭彈力ニ依リ廻轉スヘキ「ラチエット」輪(7)ノ作用ニ依リ交互ニ爪(5)(5)ヲ押シテ尾(4)ヲ振動セ

ゴムの弾力で尾びれを振る

巻いたゴムひもの戻る力を利用して尾びれを左右に振る魚のおもちゃです。ゴム動力でプロペラやスクリューを回す飛行機や船のおもちゃを知っていますか。ここでご紹介するおもちゃは回る力を使って尾びれを左右に振る動きにチョッと魅かれる。その未完成さが見どころです。

■図1　ゴムひもの弾力で尾びれを振る

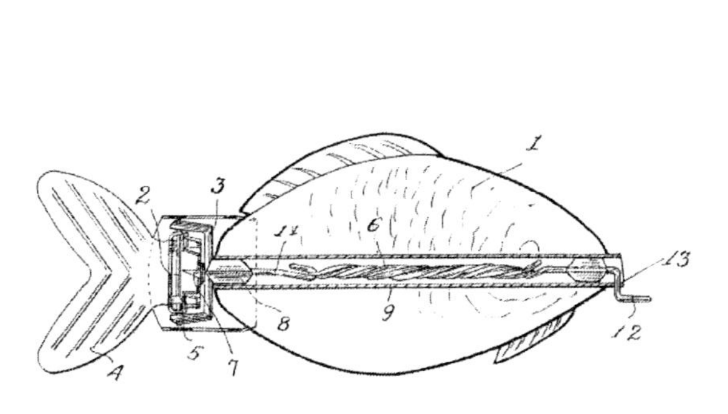

1:魚
2:金具の軸
3:止め金具
4:尾びれ
5:尾びれ金具
6:ゴムひも
7:変形歯車
11:ゴムの軸

このおもちゃの“おもしろポイント”は、図 1 の尾びれの付け根です。図の左側、数字の 2 から 7 と書かれているあたりがポイントです。もっとも、図 1 だけでは、どんな構造か分かりません。そこで、この重要部分の構造を描いた図 2 を開き、“おもしろポイント”を探りましょう。

■図２　尾びれ部分の説明図

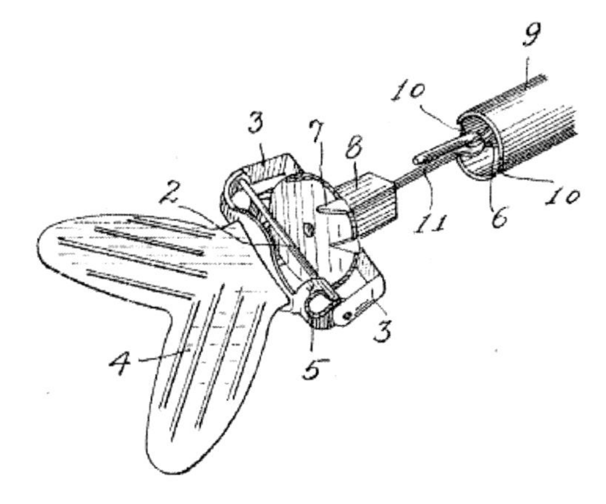

2:金具の軸
3:止め金具
4:尾びれ
5:尾びれ金具
6:ゴムひも
7:変形歯車
（ラチェット）
11:ゴムの軸

図２を見ると、主要な部品は尾びれ（4）、尾びれと一体の金具（5）、この尾びれ金具をベルトのバックルのように留める止め金具（3）、そして、止め具（3）に取り付けられた変わった形の変形歯車（7）、この歯車を回すゴムひもの軸（11）です。

図の尾びれ金具（5）の数字５と書かれている少し上に丁度、左手の親指と人差し指を丸めたような形の張り出しが見えます。この発明を明治 43（1910）年に生んだ長田仙之介さんは、この丸めた人差し指状の張り出しを爪と呼んでいますが、この爪が重要な働きをします。相手は変形歯車（7）です。変形歯車の平たい円板の縁に三角形の突起が飛び出しているのが見えます。

ラチェットです。ラチェットとは、のこぎり状の歯を持ち、一方向に回り、逆回転しない歯車のことです。

ここからが肝心な仕掛けの話しなのですが、実はこの特許の明細書には肝心な部分の説明が書いてありません。それでも“おもしろ発明”として取り上げ理由は、書かれていないからできること、つまり、私たちの知恵を使って考えて解き明かすたのしみがあるのです。

だから、ここからは想像の話しになります。まず、止め金具（3）と尾びれ金具（5）とを組合わせて軸（2）で留める時に、尾びれ金具（5）の張り出し爪がラチェット歯車の歯に深くぶつかり、動きを邪魔するように両方の金具を近づけて組んでおきます。すると、当然、ラチェットが回ると歯は尾びれ金具の爪にぶつかり邪魔します。回転する力が強ければ歯は爪を押しやり無理やり回ろうとするに違いありません。そうすると、尾びれ金具（5）は傾き、尾びれが片側に振れます。尾びれ金具（5）の後ろ側にも同じ仕掛けを組んで置けば反対側に尾びれは触れます。ただし、これは、ラチェットが回ると尾びれが振れる仕組みの一つの仮説です。

本書は、明治から大正の初期にかけて特許になったおもちゃの発明を題材にしています。

ところが当時の明細書には、旧漢字や今は使われなくなった用語が多く使われており、また、現代の技術から考えると疑問に感じる説明や、肝心の発明の説明がされていない場合なども少なくありません。

“おもしろ発明”では、このような発明でも、現代の技術者の目で見て興味深いと感じる考え方や工夫が読み取れる場合には、たとえ特許図面の一部に描かれている場合であっても、本書でご紹介する発明に加えています。

風を使うおもちゃ

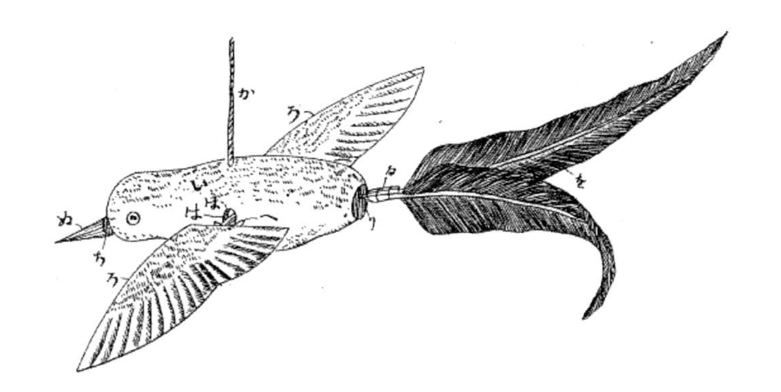

金太郎とウサギがはたらく

（大正三年八月十四日發行特許公報掲載）

特許第二六一五九號

（特許第二三一三九號ノ追加）

第百十六類

出願　大正二年一月十二日
特許　大正三年六月二十四日

岡山縣吉備郡庭瀬町三百六十一番地
特許權者（發明者）　中山辰造

岡山縣御津郡白石村今保三百七十一番地
特許權者（發明者）　武南隣衛

明細書

大正玩具

發明ノ性質及ヒ目的ノ要領

此發明ハ**特許第二三一三九號**鳥威器ノ發明ヲ擴張シタルモノニシテ風車軸ノ一端ヲ把子トシ其レヲ金太郎ニ握ラセ而シテ絲ノ下端ニ兎ヲ吊リテ成ルモノニシテ其目的トスル所ハ鳥威ヲ兼ネ五月節句鯉幟ノ代リニ建テ置カハ農業ノ重要鳥追ヲナシテ僅ニ動物模形二箇ヲ附スルノミニテ頗ル趣味アル玩具トナリ從來行ハル無效物タル鯉幟ヲシテ壓倒セントスルニアリ

圖面ノ略解及ヒ發明ノ詳細ナル說明

別紙圖面中　(1)ハ風車　(2)ハ金太郎　(3)ハ絲　(4)(10)ハ珠、(5)ハ兩端上下ニ作用スル刎木　(6)ハ彈力性ノ薄版、(7)ハ(12)ニ固定シ左端上下ニ作用スヘキ板　(8)ハL形ノ押シ木　(9)ハ軸ニ固着ノ釘　(11)ハ伸縮金　(13)ハ絲巻ニ固定セル釘ヲ示ス

金太郎とウサギがはたらく

おもちゃは普通、こどもの遊び道具です。ご紹介するのは、金太郎とウサギが知恵くらべをするおもちゃです。でも、普通のおもちゃと少し違うのは、生活のはたらきを担う「はたらくおもちゃ」をつくるという新鮮な着想です。

はたらくおもちゃという考え方は現代でも魅力的で刺激的な考えです。おもちゃと仕事の両用は持続性に通じる目からうろこが落ちる着眼点です。逆転して考えてみると、生活におもしろさを取り込む観点は、新たな商品開発の切り口になり、本書の"おもしろ発明"の一つの重要ポイントです。

さて、カラスやムクドリの都市公害は有名です。その一方で、空に泳ぐ鯉のぼりは五月の風物ですが野鳥を追い払うことまでは期待できません。ご紹介するおもちゃは、風が吹けば金太郎とウサギが目をたのしませてくれますし、害鳥がくれば追い払ってくれるはたらきもののおもちゃです。

この発明は、岡山県の中山辰造さんと武南隣衛さんの二人が郷土の金太郎とウサギの名を一段と高め、鯉のぼりを圧倒したいという強い思いから大正 2(1913)年に特許出願したものです。二人は、この発明の二年前、明治 45(1911)年に鳥威しの発明で特許(23139 号)を受けています。

この鳥威しの発明から紹介しましょう。金太郎とウサギのおもちゃの原型になった鳥威しの発明が図 1 です。金太郎もウサギもいませんが、この鳥威しの発明のカラクリから見てみましょう。

■図１　金太郎とウサギの原型になった鳥威し発明

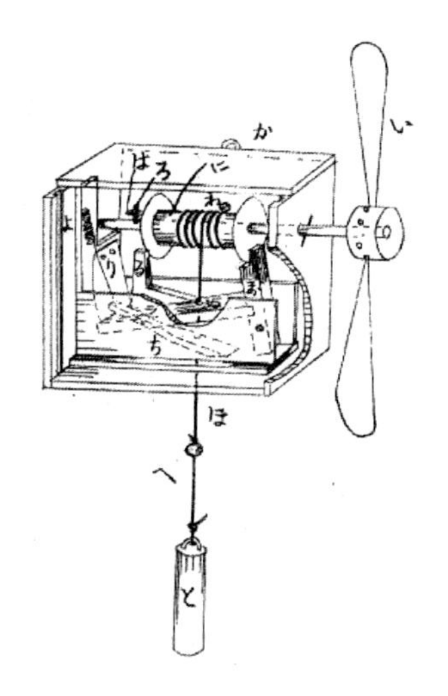

い：プロペラ
ろ：軸の釘
は：コマの釘
に：コマ
ほ：ひも
へ：下部球
と：重り

四角い箱から右向きに軸が突き出ており、その先端にプロペラがピン止めされています。風の力でプロペラが回ると、箱の中の軸も回ります。軸が回ればコマ（に）も回ります。コマは紐を巻き上げ、紐にぶら下がった重り（と）も巻き上げられることになります。つまり、風が吹けば重りは上がり、風が弱まれば重りは下がります。でも、これだけでは、鳥だってビックリしません。鳥をビックリさせて追い払う第一のカラクリが軸とコマの関係に仕込まれており、この第一のカラクリはあとで詳しく説明します。

第一のカラクリの前に、鳥をビックリさせる第二のカラクリを説明しましょう。そのカラクリは箱の中に仕組まれた何やら複雑そうな木組み細工の部分です。

風が吹いてプロペラが回り、紐を巻き上げるところから木組み細工のカラクリを追いかけてみましょう。コマが回って重りを吊るした紐が巻き上げられると、紐の途中に結ばれている丸い球（へ）も吊るし上げられ、重りより先に箱の中に入っていきます。箱の中の木組み細工の構造が図2です。

■図２　箱の中の細工

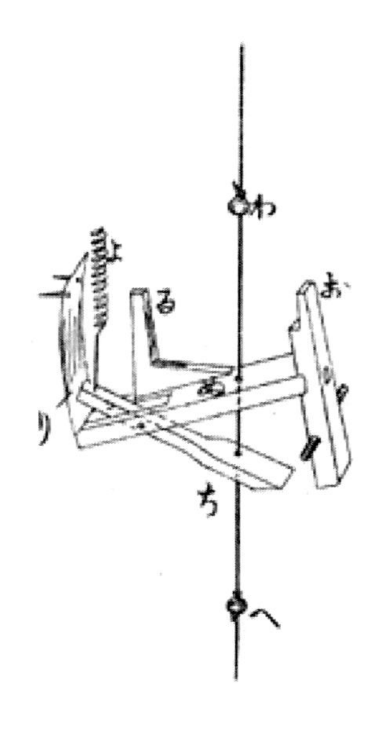

へ：球
ち：ヘラ
ぬ、る、お：梃（てこ）
り：板バネ
よ：スプリング

木組みの構造は大きく三つの部分からできています。一つ目は紐と球、二つ目はヘラのような板切れ（ち）、三つ目は「ぬ」、「る」、「お」の三つの木切れで組んだ梃子（てこ）です。図中にひらがな「る」と「お」の二文字で示された突起は、カニの左右の爪のように見えますね。

図 2 の動作を説明します。いつもはヘラ(ち)の左端はスプリングで吊り上げられており、ヘラの右端は下がっています。ヘラの穴を通る紐が巻きあげられて球(へ)を持ち上げヘラを下から押し上げます。すると、ヘラの右が上がり、支点を挟んだ左端は下がります。ここで見逃せないのが図の左に描かれている板バネ(り)の役目です。板バネは全体が右方向に反っているので、木切れ(ぬ)の左端が下にある時は木切れの上面にバネの下端が乗りあげ、板バネが上から木切れを押さえつけている状態にあり、板バネは木切れのストッパとして働いています。ヘラに戻ってみると、球がヘラの右を持ち上げると左が下がって板バネを左に押し、木切れの動きを抑えるストッパが外れます。こうして、風が吹けば球が巻き上げられ、ヘラを動かし、ストッパが外れ、梃子(てこ)は自在に動けるようになるという、すごいカラクリが潜んでいるのです。

この発明のカラクリは、まだまだ続きます。ストッパが外れた梃子の動きは、そのあと、どうなるのでしょうか。その前に梃子の右端を見ておきましょう。「お」の足の部分です。この足の部分にピンが打ち込まれています。図 1 に戻って「お」の足の部分を見ると、ピンは木組みの側板に留めてあります。つまり、ピンが軸となって梃子(てこ)は左右に少し首を振ることがわかります。木組み全体の動きを確認するために図2に戻りましょう。ヘラが板バネを押してストッパを外すと、梃子は動けるようになり、スプリングの引っ張り力と風による球の押し上げ力とが加わって梃子の左側が上方向に引き上げられ、梃子はピンが軸になって右に傾き、カニの両手を右方向に傾ける。木組みはこういう一連の動作をすることになります。この一連の木組みの裏側に隠れた動きこそが、鳥をビックリさせて追い払う第一の重要なカラクリへとつながります。

■図３　軸と駒の関係を拡大した図

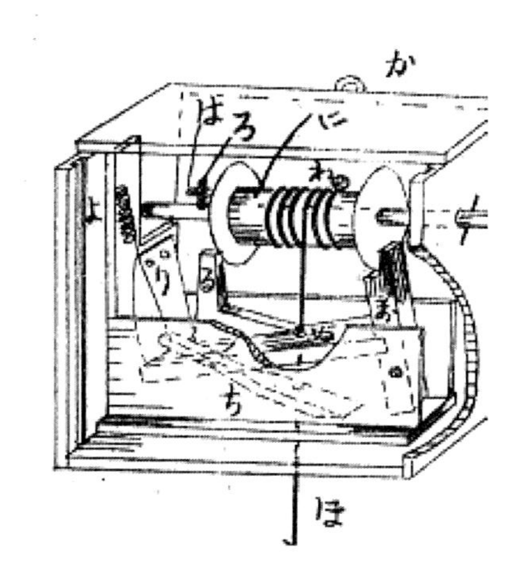

ろ：軸の釘
は：コマの釘

図３で軸とコマの関係を見ることにしましょう。重要な手掛かりはコマの左側に「ろ」、「は」と書かれている釘に隠されています。もしコマが軸に固定されているなら、この釘は何の意味もありません。実は、コマは軸には固定されておらず、カラカラと軸の周りを回るだけにしてあるのです。でも、そのままでは風が吹いて軸が回ってもコマは回らないのです。これこそが木組みのカニの爪の出番です。普段はスプリングが引っ張るのでカニの爪は左寄りにコマを押しています。コマが左寄りにあるとコマの釘と軸の釘がぶつかり合い、軸が回れば軸の釘がコマの釘に引っかかってコマを回す。つまり風が吹けばコマが紐を巻き上げるのです。反対にカニの爪が右寄

りにコマを押し込むと、軸の釘とコマの釘は互いに離れてコマは空回りです。つまり紐が巻き上げられて球がヘラを押し上げるとカニの爪が右にコマを押しやり、釘が外れて、重りは急転直下、ストーンと下に落ちるのです。重りの落下点に金属の鉄板でも置いておけば、錘が落ちるごとにガーンという大音響がするので鳥はビックリ、一目散に鳥は逃げ出すという鳥威しのカラクリなのです。いよいよ金太郎とウサギの出番です。

■図４　おもちゃへの変身

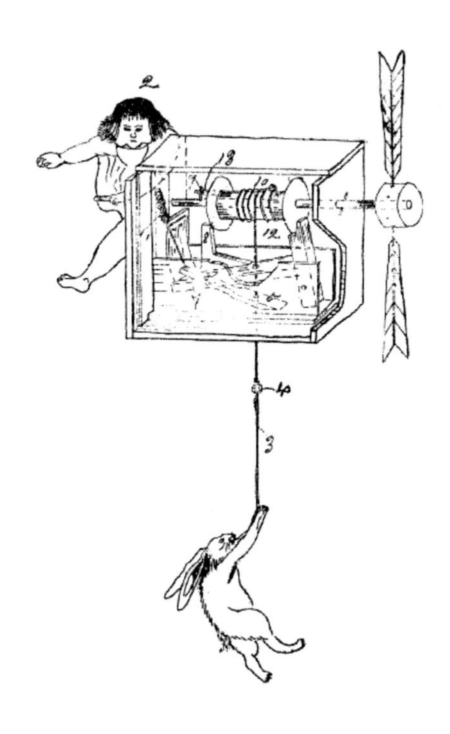

図 4 で目につくのが金太郎とウサギです。プロペラもお節句のおもちゃらしく矢羽根に変わっています。細部が図では良く判りませんが金太郎はハンドルを握って軸を回しているようです。

この金太郎とウサギのおもちゃは、風が吹くと金太郎が紐を巻き上げ、ウサギを救い上げるのですが、あるところまで吊り上げたところで、何と残念なことに、突然にストーンと落ちてしまうのです。ようやく上がってきては、また落ちる。この落差は確かにおもちゃとしておもしろそうです。ウサギの落ちる床面に、大きな音を出す金属板などを置かなくても、このウサギの突如の落下という動きを見ただけで、鳥はビックリして逃げ出しそうですね。

ここでご紹介した鳥威しの発明と金太郎とウサギのおもちゃの発明は、岡山県の二人の発明者が生んだ二つの発明です。ちなみに金太郎は実在の人物で本名は坂田金時、亡くなったのは、お二人が住んでいた岡山県だそうです。

この明治から大正のころは追加の発明と呼んだようです。現在は改良発明といいますが、発明は、ある基本の考えが生まれると、その考えをもとに発明を拡げることができます。たとえば、基本の考えをもとに、作る順番を改良、あるいは、新たな使い道を考えるなど、新たな改良を生み出すことができます。一粒の知恵が種となって、たくさんの芽が出て、いろいろな花を咲かせることもできるのです。工夫や発明は、それがもとになってつぎつぎに新たな工夫や発明を生み出します。知恵の連鎖です。

鳥が羽ばたく

特許第一六六五號

（明治三十年七月十日年限満了ニ依リ特許權消滅）

第百十六類

出願　明治二十四年二月五日
特許　明治二十五年七月十一日
特許年限　五年

奈良縣吉野郡十津川村大字折立三十二番屋敷本籍
大阪府東成郡清堀村大字清堀五百九十三番屋敷寄留
特許權者　玉　置　洋　三

奈良縣吉野郡十津川村大字折立三十二番屋敷本籍
大阪府東成郡清堀村大字清堀五百九十三番屋敷寄留
特許權者　玉　置　輝　四　郎

京都市下京區四條通柳馬場東ヘ入立賣東町八番戸
特許權者　三　崎　清　二　郎

-1-

明細書

玩　具（鳥形）

此發明ハ上端ニ鳥嘴中央ニ短管下端ニ鳥尾ヲ具ヘタル彎曲軸ト一端ニ翼中央ニ止器下端ニ透溝ヲ設ケタル翼軸ト彎曲軸及ヒ翼軸ヲ通スヘキ孔ヲ穿チタル胴體トヨリ成ル所ノ玩具（鳥形）ニ係リ其目的トスル所ハ吊絲ヲ以テ回旋スレハ鳥尾ト鳥翼トヲ動搖シテ正ニ飛鳥ノ觀ヲナサシムルニアリ

別紙**第一圖**ニ全體側面ノ斜形ヲ示シ**第二圖**ニハ底裏ヲ破壞シタル所ノ内部ト之ヲ解割シテ羽及ヒ要具附屬ヲ示シタルモノナリ

此玩具鳥ハ胴體(い)ハ紙張ノ内空ナル長楕圓ノモノニシテ翼(ろ)ハ三角形ノ厚紙ノ小片ナリ其翼軸(は)ハ細小ノ竹ノ一端ニ透溝(に)ヲ穿チ腹側面ニ翼軸ヲ通スル小孔(ほ)ヲ穿チ止器(へ)ヲ設ケ而シテ金屬線ノ彎曲軸(と)ヲ以テ胴體ニ屬セシ吻尾兩端ノ孔(ち)(り)ニ挿入シ其一端ニハ嘴(ぬ)ヲ附シ他ノ一端ニハ小木片(る)ヲ挿入シ之ニ尾(を)ヲ左右手違ニ貼付シ彎曲軸(と)ノ曲部ニ短管(わ)三箇ヲ連串シ其中間ニ翼軸ナル透溝(に)ヲ以テ挾ミ而シテ背ノ正中ニ絲(か)ヲ附着シタルモノナリ

鳥が羽ばたく

糸につるした花火や水風船を回して遊んだことはありませんか。このおもちゃは、糸の先に鳥の形をしたおもちゃを吊るし、それを回して遊ぶおもちゃです。

■図１　羽ばたくおもちゃ

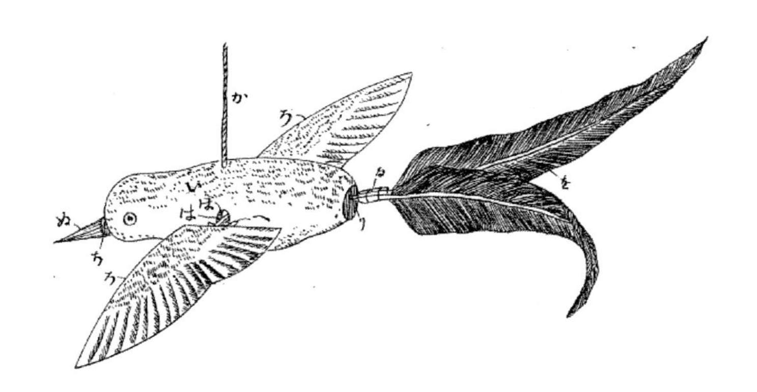

この“おもしろ発明”の説明では、図に符号の説明を書き込みません。面白さを楽しむ一つには、図を見ながら自分なりにカタチや大きさ、動き、材質などを想像してみるのも、大切な夢と冒険の道への入り口だとおもうからです。

糸の手元をつかんで糸の先に吊るした鳥のおもちゃを振り回すと、尻尾の羽根が風を受けて回り、それにあわせて鳥が翼を上下に羽ばたきます。

仕掛けは図２に見る通りです。尻尾の羽根が回転軸を回すとクランクが回り、回転運動が羽根の骨を上下に振る運動になるという仕掛けです。では、実際に作ってみませんか。

まず、紙を貼って内部を空洞にした鳥の胴体部分を作ります。この空洞の胴体を作るには、胴体を半分ずつ作り、それを張り合わせればよいですね。はじめに左右を半身ずつ作って内部の仕掛けを組んでから左右を張り合わせる作戦です。

■図２　羽ばたき構造の説明図

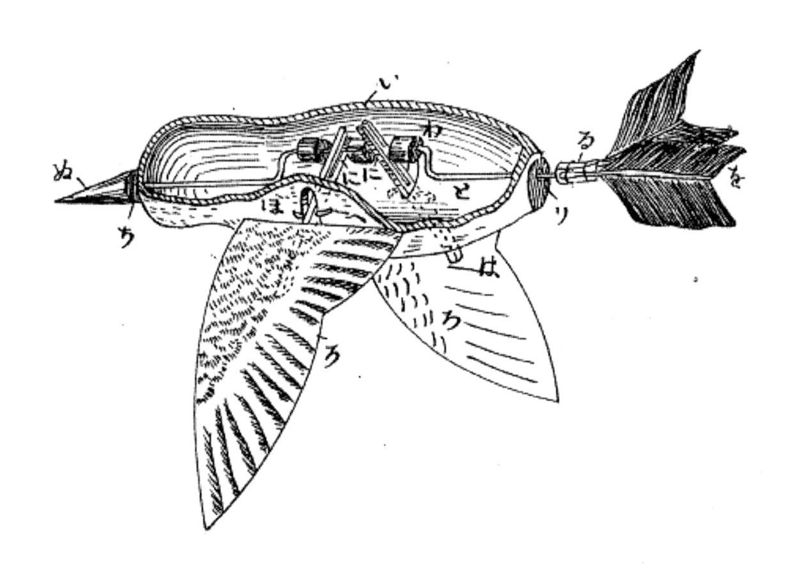

次に内部の仕掛けで重要なのは、くちばしから尻尾まで胴体を貫く回転軸です。この回転軸を作るとき材料を選ぶ必要がありそうです。少し強めでクランクの曲げ加工ができる程度の銅線などはどうでしょう。図のよう

に羽根の付け根の部分をクランク状に折り曲げ、この折り曲げ部分にあらかじめビーズ三個を嵌め込んでおきます。このビーズは、あとで羽根の骨を胴体に差し込んで羽ばたかせるとき、回転軸のクランク部分が左右の翼の骨の間に入り、回転軸を回した時にスムーズに羽根が羽ばたくようにするセパレータになります。

次に羽根です。図 3は片側の羽根の付け根の部分を拡大した図です。羽根を作るには骨の部分が重要です。この骨の工作で重要なポイントは図 2 の「に」と書いてある部分です。羽根の骨に回転軸を挟み込むための溝をあらかじめ切り込んでおきます。骨を胴体に差し込む時に、この溝の間に胴体の回転軸を挟むことになります。ガタガタでも困るし、きつめでもうまくいきません。適度なゆるさで差し込める溝を切り込むことがポイントです。「へ」と書いてある金具は、骨を胴体に差し込んだときに、胴体の外側で骨を止める止め具の役割をするようです。

■図 3　羽根の骨の構造説明図

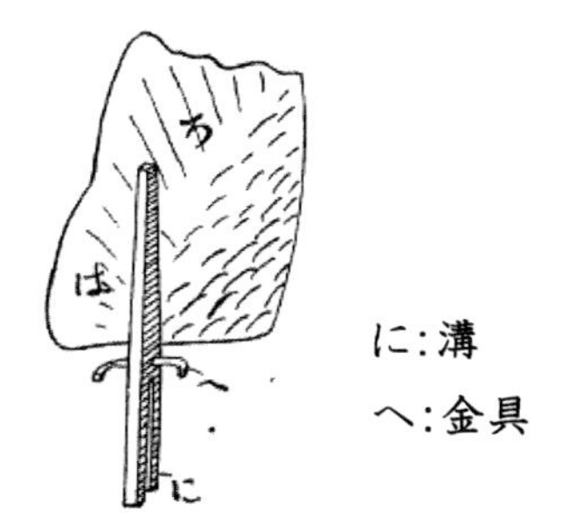

あとは、くちばしと尻尾です。尻尾については糸に吊るした鳥をぶんぶん振り回した時に、空気が尻尾の羽根に当たって回転軸を勢いよく回すように羽根の角度や取り付け方を工夫する必要があります。チョッと傾けて図1のように根元を糸で結わえておき、羽根の角度が決まったら接着剤で固定するといいかもしれません。ここは腕を振るって工夫してみてください。

最後の工夫ポイントは鳥を吊るす糸の取り付け位置です。どのあたりに糸を結ぶと鳥はそれらしく円を描いて飛んでくれるでしょうか。

この発明には分からない点がいくつかあります。一つは単純に、なぜ、おもちゃを「鳥」にしたのだろう？という点です。鳥のしっぽがクルクル回るって、余り見たことがありません。メカニズムは回転軸のクランクにあるのですが、クランクが回ったときに骨とクランクが関わり続けるために、溝の深さはクランクが回転する直径分だけ必要になります。クランクの回転径が大きいと溝はかなり深い長さが必要ですし、クランクの回転径が小さいと羽ばたきの角度も小さくなります。しかも、この発明では止め具が胴体の外に付けてありますが、これでは骨が簡単に抜けてしまう恐れもありそうです。

◆　◆　◆　◇　◇　◇

このような未解決で、問題だらけの発明です。でも、改良するおもしろさが残されていると考えることもできます。新たな発明や工夫を呼び起こす大切な知恵だしの宝庫、まさに“おもしろ発明”だと考えています。

うちわ人形

特許第五〇八號

（明治二十六年六月二十七日年限滿了ニ依リ特許權消滅）

第八類

出願　明治二十年一月十七日
特許　明治二十一年六月二十八日
特許年限　五年

大阪府堺區大町東一丁目二十一番地
特許權者　清水源七

明細書

自働扇人形

團扇ヲ以テ風ヲ起ス可キ新規有益ナル自働扇人形ヲ發明セリ依テ之ヲ詳細確實ニ說明ス

此發明ノ目的ハ機捩ノ裝置ヲ以テ團扇ヲ持チタル人形ノ手ヲ上下ニ動カシ風ヲ起サシメントスルニ在リ

此發明ハ金屬、木、紙ヲ以テ作リタルモノニシテ人形ノ胴體ハ紙ヲ以テ張リ拔トナシ之ヲ縱ニ兩斷シ螺鈑ヲ以テ番ヒ開閉ノ便ニ供シ其胴體内ニ金屬ヲ作テ作リタル枠ヲ設ケ運動齒輪等ヨリ成ル處ノ一種ノ機捩ヲ裝置シ之ニ人形ノ首手ヲ連結シ首ヲ左右ニ手ヲ上下ニ動サシメントナスノ結構ナリ

別紙圖面ハ此發明ノ構造ヲ示スモノニシテ即チ其第一圖ハ首及體内ニ裝置セル機械ヲ示シ第二圖ハ手ヲ動カサシムルノ裝置ヲ示スモノニシテ總テ此圖面ニ附シタル同一ノ符號ハ同一ノ部分ヲ示スモノトス

張拔ノ胴體(イ)ノ內部ニ四箇ノ竪板(ロ、ハ、ニ、ホ)ト二箇ノ横板(ヘ、ト)ヨリ成ル處ノ枠ヲ設ケ之ヲ下部ノ臺板ニ釘着ス然シテ竪板(ロ、ハ、ニ、ホ)ノ中央ヲ貫キ一端ニ鍵ヲ嵌合ス可キ爲ニ四角ニナシタル軸(チ)ヲ通セシメ運動齒輪ニ動力ヲ能ル處ノ旋條彈機(リ)ヲ竪板(ロ、ヘ)ノ間ニ於テ軸(チ)ニ卷キ竪板(ハ、ニ)ノ間ニ於テ齒輪(ヌ)及ヒ鋸齒輪(ル)ヲ軸(チ)ニ附着セシメ齒輪(ヌ)ニ弓形ニ屈曲シタル金屬線(ヲ)ヲ以テ押ヘラレタル掣子(ワ)ヲ備ヘ掣子(ワ)ノ尖端ヲ鋸齒輪(ル)ノ刻齒ニ接セシメ彈機(リ)ノ放弛スルノ豫防用ニ供ス然シテ齒輪(ヌ)ハ竪板(ハ、ニ)ノ下部ニ架設セル軸(カ)ニ附着セル小齒輪(ヨ)ト嚙合シ齒輪(ヌ)ヨリ運動ヲ小齒輪(ヨ)ニ傳ヘシム可クナシ然シテ齒輪(ヨ)ト同軸

うちわ人形

ゼンマイを使ってうちわで風を起こす人形です。ゼンマイの力で首を振りながら手を上下させ、緩やかな風を送る奇抜な動きと人形の動作がかわいらしいおもちゃです。人形の左腹部にあたる一見、タイヤのように見えるのがゼンマイです。

■図１　ゼンマイ仕掛けで首を振り、手を上下させる

図中に小さなカタカナ符号を使ってパーツの説明がありますが、ここでは重要な動きだけをご紹介します。なお、ゼンマイは、いまはあまり使われていませんが、昔はいろいろなおもちゃの動力に使われていました。

図 2 は人形の腹部のゼンマイ仕掛けを拡大した図です。図にはゼンマイを巻くツマミは省略されています。巻いたゼンマイのバネの復元力で軸が巻き戻ります。その巻き戻しの回転が腹部の中央に描かれている数々の時計仕掛けのような歯車群に伝わり、左に見えるはずみ車(図中にムと書かれている)を回して惰性をつけます。はずみ車の回転は小さな歯車(ラ)の回転などを経て縦に伸びるクランク(オ)の上下動に変換され、上部の水平に延びる金具(ク)に至って腕の手を動かす仕組みです。

■図 2　ゼンマイ仕掛けの中心部です

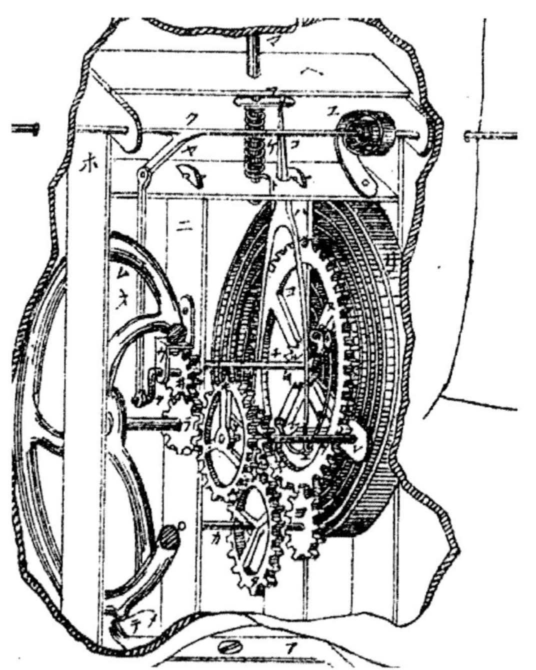

ム:はずみ車
ラ:小さな歯車
オ:クランク
ク:金具

ゼンマイを巻いて手を放すと、人形の横隔膜にあたる部分の仕掛けがはたらき、ひじから先を上下に動かし、うちわを扇ぎます。

■図３　うちわを扇ぐ仕掛け

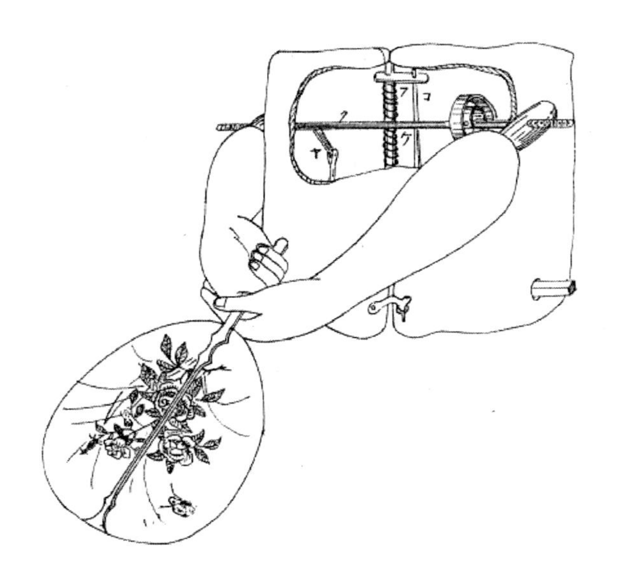

うちわを扇ぐ動作を説明するのが図３です。反転する金具（ク）の右側にも小さなゼンマイが付けてあります。この小さなゼンマイは反転金具（ク）の動きによって巻かれたり、巻き戻されたりを繰り返し、うちわを扇ぐ動きに勢いづける工夫がされています。細かい工夫ですね。

うちわの動きのメカを説明しましたが、この発明には、似たような歯車とクランクの動きを利用して首を振る仕組みが組み込んであります。

この人形はゼンマイを動力に使っています。本書にご紹介するいろいろなおもちゃの発明でもゼンマイが使われています。

ゼンマイとは、弾性の強い金属の薄い板を帯状に加工し、軸の周りに渦巻き状に巻き付けたのち、金属がもつ弾性で戻ろうとするバネの復元力を利用し、巻いた方向とは逆方向に軸を巻き戻す力を利用する手動の動力です。

◆ ◇ ◆ ◇ ◆ ◇

一昔前には、ゼンマイは電話機のダイアルを指で回すときの戻り力などにも多く使われ、普段の生活の中で何気なく使われた便利な道具の一つです。ゼンマイは今は電池とモータに代わりました。

ところで、プロペラを回す現代の扇風機は、構造的にも風を連続的に送るのにはうってつけです。でも、連続的に吹く風や、風の流れが捩れて届く風は、ときに不愉快に感じます。プロペラをうちわに置き換え、人形に扇いでもらう扇風機は、風に絶え間が生じ、なんとも快い自然の風に近い感じを受けるかもしれません。扇風機に限らず、こころの癒しを感じさせる生活用品が新たな商品開発の課題になるかもしれません。レトロな中に心の新感覚を発見することもありそうです。

ホタルの虫かご

第六六〇九號　明細書

出願　明治三十六年三月二十七日
特許　明治三十六年九月二十五日

玩具(螢籠)

岡島友二郎

此發明ハ金屬ニテ螢籠ヲ作リ其金網中ニ畫キタル螢ニ燐光ノ活生スル樣ニ觀スル螢籠ニ係リ其目的トスル處ハ螢籠ノ内部ニ火ヲ點シ其火勢ニテ捻子筒ヲ回轉セシメ且ツ筒中ノ燈火ノ影ヲ以テ畫螢ヲ眞ノ螢火ノ如ク見セシムルニアリ

別紙圖面ハ本發明ノ構造ヲ示スモノニシテ其第一圖ハ螢籠ノ四面ニ貼付スル畫面ノ分解圖ナリ第二圖ハ第一圖ノ分解シタル畫面ヲ疊挾シタル圖ナリ第三圖ハ全體ノ外面圖ナリ第四圖ハ螢籠ノ内部ノ回轉ヲ示ス圖面ナリ

本發明ノ要スル處ハ螢籠ノ四面ニ貼付スルニ用ユル畫面ニシテ即チ第一圖ノ如ク表ニ螢畫燐火ノ所ヲ切拔ス(一)ヲ張リ裏ニ青色ノ硝子板(五)ヲ臺トシ内ニ蠟引紙(四)ト又(二)(三)ノ圖ノ如ク成シタル紙ヲ挾疊シタルモノニシテ此畫面ヲ以テ作リタル事ニシテ面シテ螢火ノ活生顯滅セシムルニハ其螢籠ノ内部ニ設ケタル燈ニ火ヲ點スレハ其火勢ニテ羽車(ロ)及ヒ捻子筒(イ)ヲ回轉セシメ且ツ筒中ノ燈火ノ影ニテ表面ノ畫螢ハ眞ノ螢火ノ活生スル如ク見セシムルナリ(チ)ハ上部ノ扉且ツ火氣拔ナリ(ヘ)ハ石油入器ナリ(ホ)ハ「ホヤ」ナリ(ハ)ハ返射鏡ナリ(ニ)ハ畫面ノ裏ノ青色硝子板ナリ(ト)ハ羽車心針ヲ受ケタル腕金ナリ

本器使用法ハ上部ノ扉ヨリ捻子筒ノ出入ヲナシ横部ノ扉ヨリ燈火ノ出入ヲ爲ス

特許法ニ依リ予カ發明トシテ特許ヲ請求スル範圍ハ左ノ如シ

一、本書ニ詳記シ且ツ別紙圖面ノ第一圖ニ示スカ如ク表ニ螢畫燐火ノ所ヲ切拔ス(一)ト青色ノ硝子板(五)トノ中間ニ蠟引紙(四)ト(二)(三)ノ圖ノ如クナシタル紙ヲ挾疊シタル畫面ヲ螢籠ノ四面ニ張リ内部ニ燈火ヲ置キ捻子筒(イ)ノ回轉ノ影ニ依テ燐光ヲ活生顯滅セシムル玩具(螢籠)

ホタルの虫かご

夏の夕凪時などは暑くて寝苦しいものです。そんなとき、部屋の片隅に置いた虫かごの中でホタルが、涼し気な光を放ち、すぐにスーッと消え入る。こんな季節のおもちゃです。

金網の中のホタルは四十匹ぐらいにもなるようです。虫かごの丸いドームの天井を飾る吊り金具や、足元に張り出した脚のデザイン、金網の四隅の装飾などもクラシックで洒落ています。

■図1　ホタルの虫かごの外観図

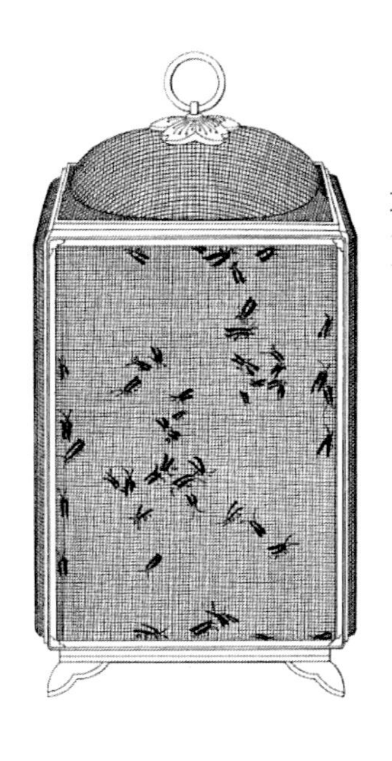

この虫かごの外観から思い当たるのは回り灯籠です。回り灯籠ならば、虫かごの中の光源を巡って円筒が回り、円筒に描かれたホタルの光と影が外側の金網に映る仕組みです。外周に映る光と影、シルエットの流れるような変化も、回り灯籠の大きな特徴です。でも、四角い虫かごの場合には四隅が光源から離れるだけに、金網に映るホタルの光と影のシルエットはボヤケル筈です。よく見てみると、この発明の虫かごのホタルは、どれも網にとまっていてシルエットが鮮明です。回り灯籠だったら、こんなに鮮明なシルエットが虫かごの隅々まで映る筈がありません。どんなカラクリが仕組んであるのでしょうか。どこからか蚊取り線香の微かな匂いも流れてきそうなホタルの虫かごの仕組みを読み解いてみましょう。

ところで、風の流れを利用するおもちゃは昔からたくさんあります。本書でも、紐に吊るした鳥をグルグル回すと風の勢いで羽根がパタパタするおもちゃや、お節句の鯉のぼりに負けじと金太郎が頑張るおもちゃなど、風を利用するおもちゃを紹介しています。

虫かごの台座の中央に小さなランプが据えられています。この発明は明治 23(1890)年生まれですので、石油タンク(図中に「ヘ」と書いてある)と火屋(ほや。「ホ」と書いてある)のついた石油ランプが使われています。ランプの真上、ドーム天井の吊り金具の裏側には、回転する羽根車(ロ)が吊り下げられており、図には手前の一部だけが見えています。羽根車には斜めの羽根が中心から放射状にたくさん付いており、下から上に向かう上昇気流で羽根車はクルクルと回ります。

■図２　上昇気流で光を明滅させる

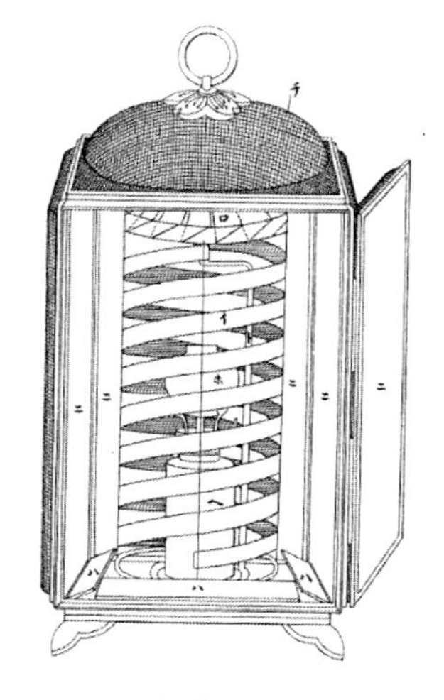

イ：リボン
ロ：羽根車
ホ：火屋（ほや）
ヘ：石油タンク

図 2 にご紹介するのがホタルの虫かごの光源を明滅させる仕組みです。この図では、虫かごの正面の金網を開いて中の構造を見せています。

さらに、この羽根車にはもう一つ、図 2 でははっきりしないのですが、羽根の縁から台座に向かって垂れ下がるように透明な円筒が取り付けられています。この円筒には光を遮るスパイラル状のリボン（イ）が設けてあり、羽根車が回るとスパイラルリボンがクルクルと回ります。この様子は床屋さんの赤白青のリボンのサインと似たイメージです。スパイラルリボン越しにランプを見ると、まるでランプが点滅するような錯覚になることが分かりますね。

いよいよホタルのシルエットの工夫です。図 3 は一枚の金網を外し、ホタルが掛かれたパネルをバラバラに分解した分解図です。この図には描かれていませんが、パネルは外側の金網の内側に組み込まれ、フレームでおもちゃの四面に取り付けられています。

■図３　ホタルのシルエット

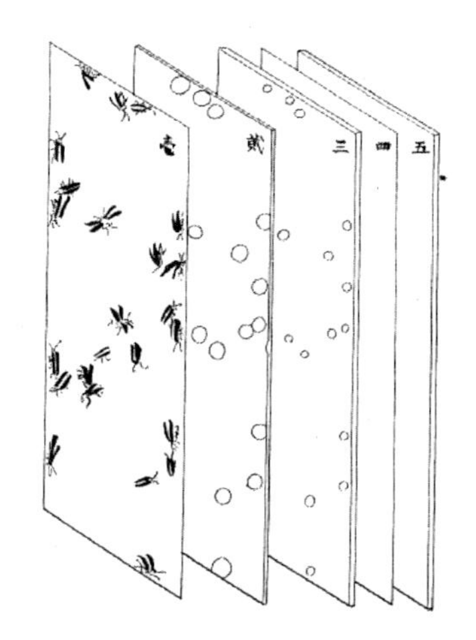

五：青色ガラス板
四：蠟引き紙
三、貳：化粧シート
一：シルエット

パネルは全体が五枚の板を重ね、いまで言う積層構造になっており、一番内側になるのが青色のガラス板（五）です。このガラス板がベースになります。青色ガラス板の上に蝋（ろう）引き紙（四）を貼るのは光を散乱させる拡散シートの役割です。「三」と「貳」は、独特の光を放す半透明の和紙に小さな丸い穴を開け、穴から漏れる光の明暗でホタルの光を演じる化粧シートです。そして、「壱」がホタルの黒いシルエットです。

◆　◇　◆　◇　◆　◇

ホタルの虫かごの発明、いかがでしたでしょうか。さらに一歩進んでチョッと工夫を加え、石油ランプやロウソクは火事など危ないのでLEDにしてはいかがですか。火の気がなければガラス板を軽い色紙やプラスチックシートに替えることがもきます。虫かごの中に風鈴をつけることもできそうです。鈴虫のような澄んだ鈴音が鳴る。こんな虫かごがあれば、欲しくなりませんか。

ところで、昔のアイデアを現代によみがえらせようとするとき、想像もしなかった新たな問題が起きてくることがあります。

例えば、ランプをLEDに替えると、光源の発熱量が極端に減り、光源がそれほど熱くならないのです。これでは上昇気流が生じないのでスパイラルリボンが回らず、ホタルの光はつきっぱなしになってしまいます。

さあ、どうしましょう。ホタルの光を点滅させるための新たな工夫が必要になります。これこそチャンス到来です。新しい課題に挑戦して発明を生みだしてください。

乗り物のおもちゃ

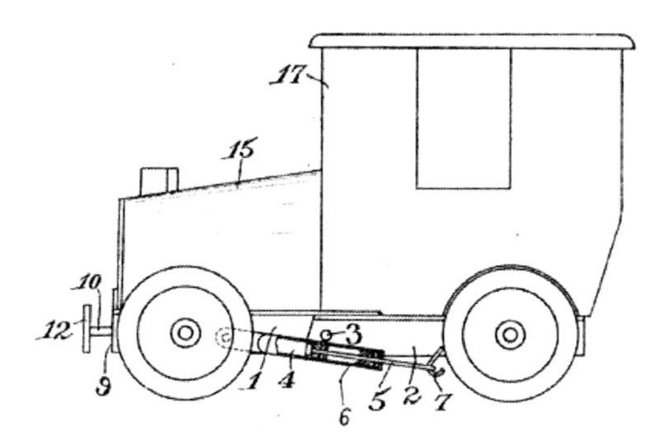

はずみ車と慣性

特許第一七七五五號

第百十六類

出願 明治四十二年六月二十四日
特許 明治四十三年三月九日

岡山縣淺口郡玉島町字上成百四十二番地
特許權者(發明者) 中原 榮

明細書

自轉車玩具

發明ノ性質及ヒ目的ノ要領

本發明ハ叉狀車枠ニ車輪ト飛輪トヲ異軸同心ニ且ツ同一平面內ニ配置シ車輪ノ轂部ニハ偏心的ニ轉軸ヲ設ケ該轉軸ヲ飛輪軸ニ連繋セシムヘクナシタル自轉車玩具ニ係リ其ノ目的トスル所ハ飛輪ノ回轉ニ依リ回轉車輪ヲシテ均衡ヲ保タシメ以テ自轉車ヲシテ猥リニ轉覆スルコトナク容易自在ニ進退セシメ得ルニアリ

圖面ノ略解

別紙圖面ニ於テ**第一圖**ハ本發明ノ正面圖**第二圖**ハ其ノ平面圖**第三圖**ハ一部ヲ省略セル本發明ノ變更式正面圖**第四圖**ハ其ノ平面圖**第五圖**ハ本發明ヲ一輪車ニ應用シタル場合ノ正面圖**第六圖**ハ其ノ側面圖**第七圖**ハ本發明ニ使用スル車輪ノ變更式正面圖**第八圖**ハ其ノ側面圖ナリ以上諸圖ニ於テ同一符號ハ同一若クハ均等部分ヲ表ハスモノトス

發明ノ詳細ナル説明

八十九

八九

-1-

はずみ車と慣性

はずみ車を知っていますか。フライホイール fly wheelともいいます。自転車の前輪を持ち上げ、カラ回しさせると勢いがついて回り続け、止めるのも大変です。他から力を受けない限り現在の状態を変えないということ、つまり、慣性が生じるのです。現代もいろいろなところで慣性は利用されており、エネルギー分野のフライホイール蓄電もその一つです。

ご紹介するのは、車輪の内側にはずみ車を仕込んだ自転車のおもちゃです。はずみ車は、回り始めると慣性で回り続けようとしますし、コマと同じように軸の向きを安定にしようとするジャイロの働きも生まれます。はずみ車付き自転車は慣性の働きで長い時間、倒れずに走り回ります。

■図1　はずみ車が前輪に仕込んであります

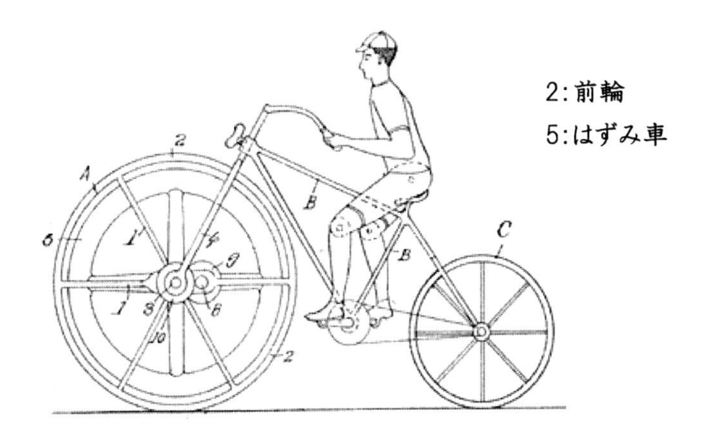

■図 2 はずみ車の構造

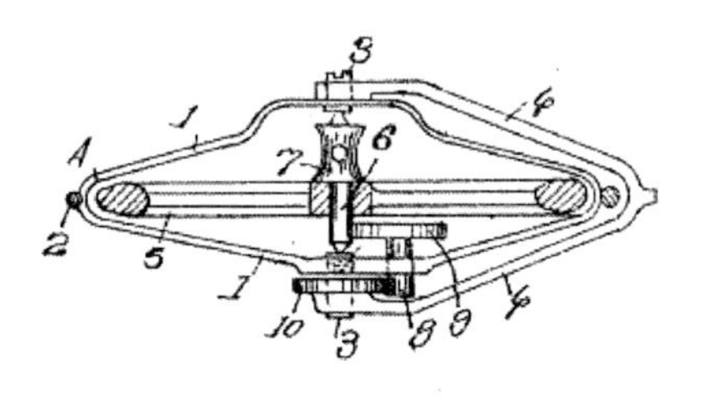

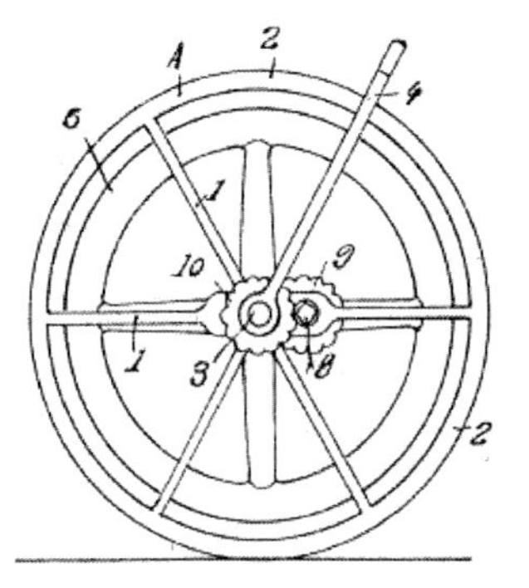

1:スポーク

2:車輪

3:車輪の車軸

4:フォーク

5:はずみ車

6:はずみ車の軸

7:糸車

8:小歯車

9:歯車

10:固定歯車

仕組みを見てみます。車輪(2)のスポーク(1)は普通の自転車とは違って左右の間にはずみ車(6)を入れるので幅広に配置されています。はずみ車の軸(6)と車輪の軸(3)は別々な軸ですが、その芯の位置と向きは同じにそろえてあります(「異軸同心」といってます)。はずみ車の軸(6)には糸車(7)が付けてあり、コマ回しの要領で糸を巻いて引っ張れば、はずみ車が回ります。

車輪の軸近辺を拡大したのが図 3 です。

■図３　車軸の近くを拡大

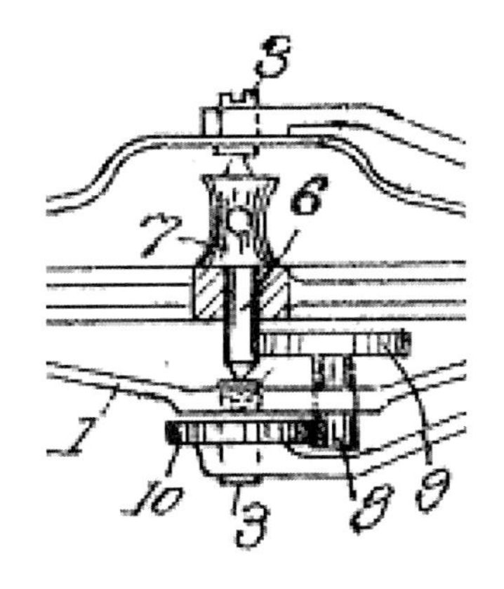

6:はずみ車の軸
7:糸車
9:歯車
8:歯車の軸
1:スポーク
10:固定歯車

はずみ車の軸(6)は、糸車(7)の反対側にも突き出しており、そこには歯が切ってあります。その突き出した歯に噛み合う歯車(9)は軸(8)がスポーク(1)を貫通し、しかも、軸(8)の先にも歯が切ってあります。この歯に噛み合うのが歯車(10)です。この歯車(10)は普通の歯車のように回転する歯車ではなく、フォークの先にガッチリと固定されています。つまり、歯車(10)が固定しているので、軸(8)の歯が歯車(10)の周りを噛みあう形で回るという仕掛けです。つまり、はずみ車が回ると、軸(8)は歯車(10)の周りをグルグルと回ることになります。

最初から手順を追ってみます。まず、糸車(7)が回されると、はずみ車が回り、軸(6)から歯車(9)が回り、歯車(9)の軸(8)が回ります。すると、歯車(10)は自転車のフォークに固定されている固定歯車なので、逆に力が軸(8)に掛かり、結果的にスポークを回す、つまり、車輪ははずみ車の慣性によって回り続けるという仕組みです。

回転の速さはどうでしょう。はずみの径が小さい軸(6)から径の大きい転輪(9)に伝えるときは回転数が下がります。さらに転輪(9)の軸(8)は接触する固定輪より径が小さく回転数が下がります。このように歯車の大小を組合わせて回転数を上げ下げする仕組みは、自動車や自転車、産業機械の変速機などに広く使われています。

ここまでの紹介は、はずみ車を回すと、その回転が慣性となって車輪を回す力になるという例でした。この発明を生んだ岡山県の中原栄さんは、もう一つの発明も生んでいます。それは、自転車を動かせば車輪が回り、糸車なしではずみ車が回り、慣性となるという発明です。

■図4　車輪を回すとはずみ車が回りだす

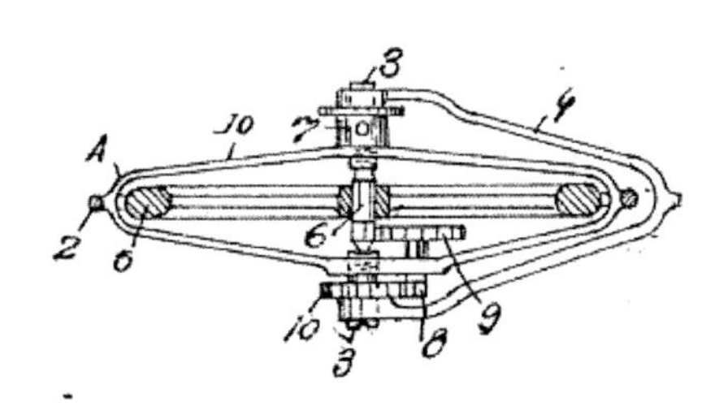

車輪が動けばスポークが歯車(9)を回し、はずみ車(5)を回すという発明です。図4には糸車(7)が描いてありますが、糸車を使わない発明です。

◇ ◆ ◇ ◆ ◇ ◆

はずみ車は回りだすと、他の力で止めようとしない限り、慣性で回り続けようとします。この“おもしろ発明”でご紹介したのは、はずみ車の慣性を利用するおもちゃです。「慣性」という言葉に関連して「モーメント」という用語もあります。調べてみてください。

ところで、図 1 を見ると、大きな車輪の自転車を人が懸命に漕いでいるように見えます。でも、実際には、反対に回るはずみ車に人がしがみ付いているわけです。主客逆転しているところが“おもしろ”かもしれませんね。

バラバラになる

特許第七〇四一二號

〔大正十五年公告第九五七四號〕

第百十五類　一六、船車玩具

出願　大正十四年六月十一日
公告　大正十五年七月二十三日
特許　大正十五年十二月九日

東京府南葛飾郡吾嬬町請地千二百十一番地
發明者　阿部孟
東京市本所區石原町四十三番地
特許權者　熊倉鐵三郎
代理人　辨理士　石大次郎　外二名

明細書

自動車玩具

發明ノ性質及目的ノ要領

本發明ハ自動車ノ架構ヲ中央部ヨリ二折シ得ヘク構成シ之ヲ螺條ノ彈撥力ニヨリテ俯仰シ得ヘクナシ該架構ノ前部ニハ先端ヲ架構ノ前方ニ突出セシメ且其適宜ノ箇所ニ二個ノ懸支板ヲ取付ケタル二本ノ摺動杆ヲ進退自在ニ裝備シ尙車臺ヲ數個組合ス如ク作リテ其各下面ニ該懸支板ニ懸合支持スヘカラシメタル掛止板ヲ設ケテナル自働車玩具ニ係リ其目的トスル所ハ疾走中他物ト衝突シタル際懸支板ト掛止板トノ懸合ハ外レ車臺ハ飛散破壞シテ之ヲ玩フ兒童ニ衝突ノ恐ルヘキコトヲ知ラシムルト同時ニ破壞セル自動車ヲ組立サシメテ緻密ナル頭腦ヲ養生セシムル敎育玩具トシテモ用ヒラルルモノヲ得ントスルニアリ

圖面ノ略解

別紙圖面第一圖ハ本發明自動車玩具ノ側面圖第二圖ハ同上ノ縱斷側面圖第三圖ハ同上ノ架構ノミノ平面圖第四圖ハ同上ノ作動狀態ヲ示ス側面圖第五圖ハ第二圖ノA—A線ニ沿フテ切斷シ矢ノ方向ニ見タル圖トス

發明ノ詳細ナル說明

九十九

-1-

バラバラになる

ぶつかるとバラバラになり、ビックリする自動車のおもちゃです。もちろん、飛び散ったパーツを組み立てれば元に戻すことができます。「ビックリ！」をたのしむ"おもしろおもちゃ"を紹介します。

■図1　横から見ています

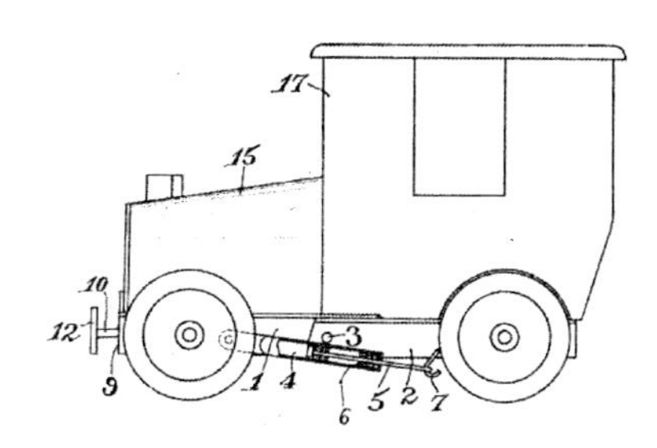

■図2　シャーシを抜き出しました

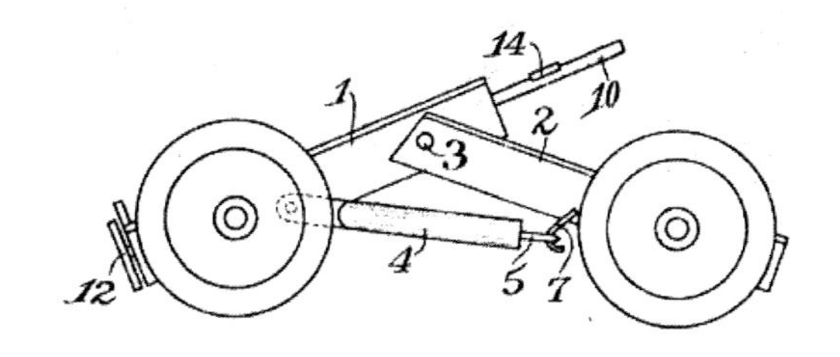

仕組みをみていきます。シャーシは前部(1)と後部(2)に分かれています。中間には支点(3)を設け、前後をスプリング(6)で引っ張り、衝突する

と前後がくの字に折れ曲がる構造です。前面(9)にスライドバー(10)(11)を接続し、先端にバンパー(12)を固定し、スライドバーにサポートボード(13)(14)を設けます。また数個に分けたボディー(15)(16)(17)をシャーシの上に置きます。

ボディーの下面にはフック(18)を付けたストッパーボード(19)(20)を設け、スライドバーが前進した場合はサポートボードと噛み合い、後退した場合は外れるようにし、ボディーを支えます。前半のボディー(15)(16)の合わせ目にはスプリング(24)を仕込んでおき、衝撃で弾き、飛び散るようにします。

■図3　断面図です

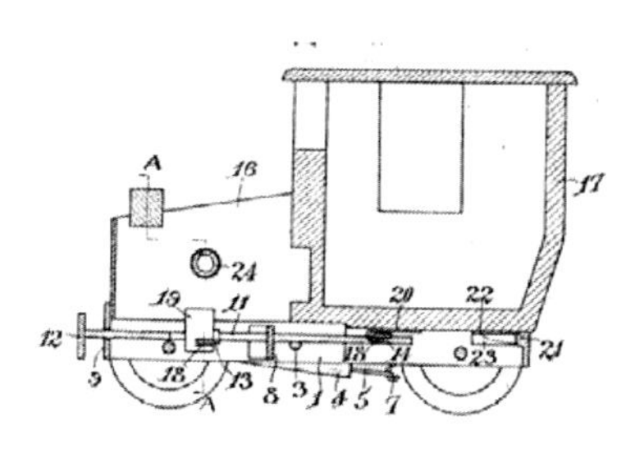

1:シャーシ前部
2:後部
3:支点
4:スプリング
10、11:スライドバー
12:バンパー
13、14:サポートボード
15、16、17:ボディー
18:フック
19、20:ストッパーボード
24:スプリング

■図4　シャーシを下から見ています

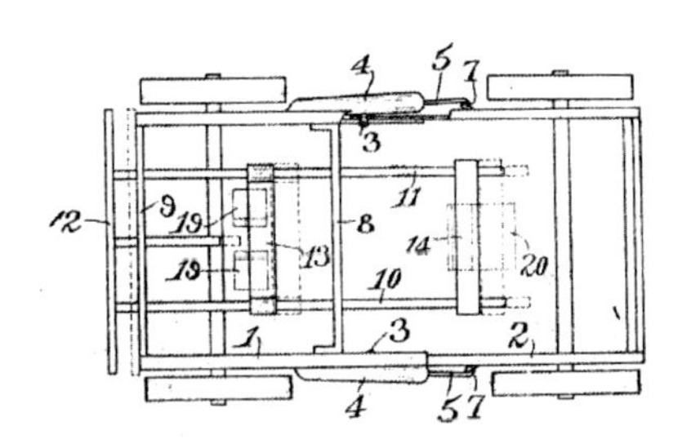

あそび方は至って簡単です。手で押し、自動車を何かに衝突させます。するとバンパーが押されスライドバーとともに後退し、サポートボードとストッパーボードが外れます。すると、スプリング(4)が働いてシャーシが中央から真っ二つに折れ、それとともにボディーが散り散りに飛び散ってしまいます。

■図５　左右のボディーの間にスプリングを入れます

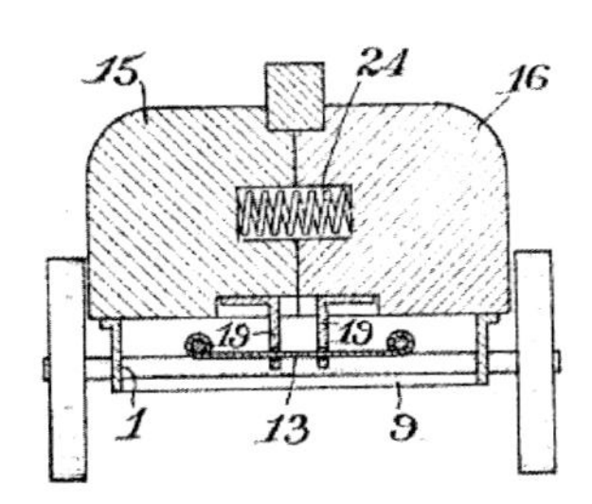

大切な自動車が、ぶつかっただけでバラバラに壊れてしまうという悪夢のような体験は、強く思い出に残るのではないでしょうか。場合によってはインパクトが強すぎるかもしれません。もちろん各部を組み立てれば元に戻すことができ、安心するとともに造る喜びも味わえます。

簡単な仕掛けですが、ビックリさせる意外性があり、"おもしろおもちゃ"の一つに取り上げました。このおもちゃは、ビックリという新しさを教えてくれるおもちゃなのかもしれません。

行っては戻る

第一六五五六號　第百十六類

出願　明治四十二年四月九日
特許　明治四十二年六月二十三日

東京市神田區岩本町二十八番地　島田助三郎
山形縣南村山郡東澤村字釋迦堂五十二番地本籍
東京市京橋區月島東仲通九丁目一番地寄留　富塚喜助

玩具往復自働車

本發明ハ強弱二種ノ螺狀彈機ニ附シタル各紐ヲ一本ノ車軸ニ纏卷シ其ノ廻轉ニ依リ往復スヘクナシタル玩具往復自働車ニ係リ其ノ目的トスル所ハ自動的往復セシムルニ在リ

別紙圖面ハ本玩具ノ構造ヲ示セルモノニシテ其ノ第壹圖ハ或ル部分ヲ切リ缺キタル平面圖第貳圖ハ側面圖第參圖ハ後面圖ナリ

右諸圖ニ於テ同シ符號ハ同シ部分ヲ示スモノトス

本發明ハ車體(イ)ノ前後ニ車軸(ロ)(ハ)ヲ架シ其ノ各兩端ニ車輪(ニ)ヲ附シ該車輪ノ後部ニ屬スル其ノ一方ニハ把手(ホ)ヲ附シ廻轉ノ用ニ供シ以テ紐(タ)ヲ纒附セシムルモノトス又後車ニ於ケル車軸(ハ)ニハ二個ノ突子(ヘ)(ト)ヲ設ケ該突子(ト)ハ其ノ一方ニ廻轉スル場合紐(ヨ)ヲ抄ヒ掛クル働ヲ有セシメ他方ニ廻轉スル場合紐(ヨ)ニ觸ル、ノミニテ決シテ掛クルコトナキ樣一方ニ彎曲セシムルヲ要ス尚ホ之ニ近キ所ニ支杆(チ)ヲ横架シ之ニ二個ノ掛紐具(リ)(ヌ)ヲ設ク掛紐具(リ)(ヌ)ハ相當ノ間隔ヲ設クヘク折リ曲ケタル細杆ヨリ成ルモノニシテ其ノ下端ヲ一方ノ掛紐具(ヌ)ハ固着シ他方ノ掛紐具(リ)ハ關着シ其ノ上方ヲ車體(イ)ノ面上ニ露出セシメテ環狀ニナシ把手ノ用ニ供スルモノトス尚ホ掛紐具(ヌ)(リ)ヲ支止スヘク支杆(ル)(ル)ヲ二段ニ車體(イ)ニ横架シ而シテ掛紐具(リ)(ヌ)ト各對向スヘキ位置ニ於ケル車體(イ)ノ前方裏面ニ強弱二種ノ螺狀彈機(ヲ)(ワ)ノ各一端ヲ附設スルモノニシテ即チ掛紐具(リ)ニ對スル螺狀彈機(ワ)ヲ強力トナシ他ノ掛紐具(ヌ)ニ對スル螺狀彈機(ヲ)ヲ螺狀彈機(ワ)ニ比シ弱キ彈力トナシ而シテ各其ノ他端ニ支杆(ル)(ル)間ヲ經テ掛紐具(リ)(ヌ)ニ纒掛シタル紐(ヨ)(タ)ノ各兩端ヲ附着スルモノトス

行っては戻る

車輪についたハンドルをクルクルッと回して床に置き、手を離すと車は前進し、やがて停ってから自動で後退して戻ってくる、かしこいおもちゃです。

■図１ 下から見た図。切り欠いて内部を見せています。

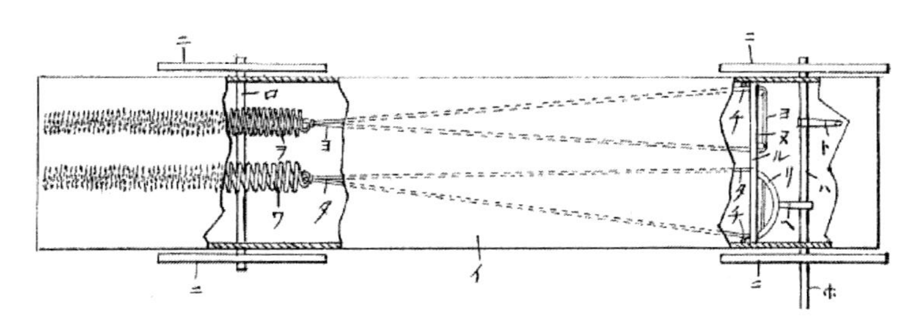

イ：ボディー　ロ、ハ：車軸　ニ：車輪　ホ：ハンドル
ヘ、ト：突起　ワ：強いスプリング　ヲ：弱いスプリング
タ、ヨ：環状ひも　リ、ヌ：掛けひもゲート　チ：バー

■図２　横から見ています

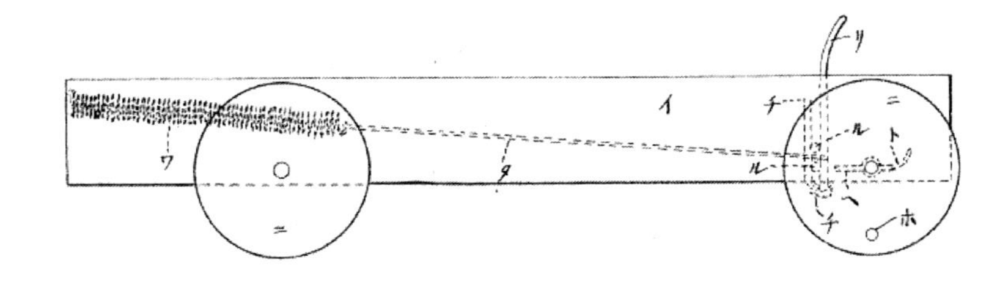

このおもちゃの仕組みを見ていきます。

■図3　重要な部分を正面から見ています

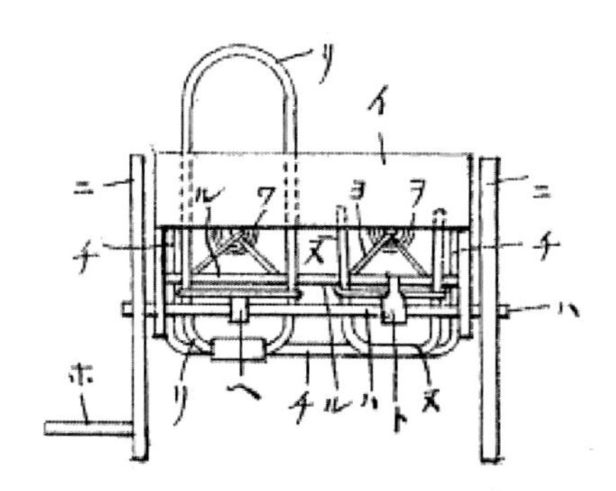

長方形のボディーに強弱二本のスプリング(ワ)(ヲ)が懸けてあり、その左端は固定、右端は環状のひも(ヨ)につないであります。これらのひもを後車輪の軸に巻きつけることでスプリングを引き伸ばします。この発明の"おもしろポイント"は、二本のスプリングを同時に伸縮させるのではなく、タイミングをずらし、しかも逆回転をさせるという工夫です。

掛けひもゲート(リ)(ヌ)は左右にそれぞれあり、そこに環状のひもを引っ掛けます。一方の掛けひもゲート(リ)だけは、バー(チ)を使って斜めに傾けることができるようにしてあり、ゲート(リ)の上部はボディーの上に突き出ています。そして、この掛けひもゲートがクラッチのはたらきもするようです。

最初に、掛けひもゲート(リ)を傾けてハンドル(ホ)を回すと、ひも(タ)が車軸の突起(ヘ)に引っ掛かって巻き付き、強い方のスプリングを伸ばします。このとき、車軸の湾曲した突起(ト)が一種のラチェットとしてはたらき、もう一方のひも(ヨ)はスリップして車軸には巻き付きません。つぎに、車を下に置いてハンドルの手を放すと、強いスプリングは縮んで結ばれたひもを引き戻し、車軸を回転させ車を前進させます。同時に弱いスプリングのひもは今度は湾曲した突起に引っ掛かるため軸に巻き付き、弱いスプリングを伸ばします。このとき、強いスプリングの力が弱いスプリングに移るのだと見ることもできそうです。

こうして、車軸に巻き付いた回数だけスプリングの力で回転し、前進する動きが終わると、強いスプリングのひも(タ)は車軸から外れ、車は停止します。今度は弱いスプリングの力で車軸に巻き付いたひもが引っ張られ、車軸を逆回転させて車は後退します。行っては戻るというわけです。前進するときに軸に巻き付いた回数だけ後退するときは逆回転するので、理屈の上では出発点に戻ってくるはずですね。

この発明を読み解いていたら、明細書の記載に大きな間違いを発見しました。「左」と「右」の書き間違えです。数人で確認しましたが明細書の通りに左を左として読むと、このおもちゃは動きません。左を右と読めばキチンと動作します。発明者が右と左を書き間違えたのだと思います。

いま現在も権利が生きている特許発明です大間違いでは済まないかもしれません。隠された特許発明の笑い話“おもしろ発明”の一つです。

磁石の力？

京都府大槻豐信ヨリ明治卅年四月五日ニ出願シ同三十一年四月四日付ヲ以テ十ケ年ヲ期限トシ特許シタル第三〇八五號特許證ニ屬スル明細書左ノ如シ

第三〇八五號

玩具

此發明ハ臺筒ノ内部ニ磁氣ヲ附着シタル軸ヲ其一端ハ嚢筒ノ外面ニ少シク突出スヘキ樣裝着シ此軸ヲ之ニ接觸スル挿板ノ往復動ニヨリ回轉セシメ磁力ノ媒介ニ依リ外面ニ於ケル鐵製ノ物體ニ運動ヲ傳フヘクナシタル玩具ニ係リ其目的トスル所ハ臺筒ノ外面ニ於ケル物體カ自然ニ運動ヲ生スルカ如キ觀ヲ呈セシムルニアリ

別紙圖面ハ本具全體ノ斜面圖ニシテ一部ヲ切缺キテ其内部ヲ示スモノトス且ツ説明中上下ノ稱呼ヲ用ユルハ圖面ノ位置ニ藉ルモノトス

臺筒(イ)ノ内部ニハ磁氣ヲ附着セシメタル軸(ホ)ヲ垂直ニ裝着シ其上部ニ於ケル尖端(ロ)ハ之ヲ臺筒(イ)ノ外面ニ少シク突出セシメ中央ニハ一端ニ重錘(ハ)ヲ有スル腕(ニ)ヲ設ケテ軸(ホ)ノ回轉セラルルニ方リ惰性ヲ與フヘクス而シテ軸(ホ)ノ下端ニハ之ニ接觸シテ挿板(ト)ヲ見ヘ此挿板ニハ一端ヲ臺筒(イ)ノ外側ニ突出セシメテ鈕(チ)ヲ設ケタル柄(リ)ヲ具フ此柄ニ依リ挿板ヲ往復動セシメ以テ軸(ホ)ヲ回轉セシムルモノトス而シテ臺筒(イ)ノ内底面ニハ挿板(ト)ノ緣(ヌ)ニ嵌合スヘキ溝(ル)ヲ有スル導桿(ヘ)ヲ設ケ以テ挿板(ト)ノ往復動ヲ圓滑ナラシム

本具ヲ使用スルニハ臺筒(イ)ノ外面ニ突出セル尖端(ロ)ニ接シテ適宜ノ鐵製物體(ヲ)ヲ添置シ然ル後側面ニ突出セル柄(リ)ヲ把持シテ挿板ヲ往復動セシメ以テ之レニ接觸セル軸(ホ)ヲ回轉セシム然ルトキハ軸(ホ)ニ附着セル磁氣ノ媒介ニ依リ該物體(ヲ)ハ運動ヲ傳ヘラルヘキ以テ一見該物體カ自然ニ運動ヲ生シタルカ如キ觀ヲ呈セシムヘシ

特許條例ニ依リ本發明ノ保護ヲ請求スル區域ヲ左ニ揭ク

一 前文所載ノ目的ニ於テ本文ニ記載シ且ツ別紙圖面ニ示ス如ク内部ニハ磁氣ヲ附着シタル軸(ホ)ヲ其上部ノ尖端(ロ)ハ外面ニ少シク突出スヘク裝着シ軸(ホ)ノ下部ニハ之ニ接觸シテ挿板(ト)ヲ具ヘ此挿板(ト)ニハ一端ヲ外側ニ突

-1-

磁石の力？

最後にご紹介するのは、明治 30(1897)年に京都府の大槻豊信さんが特許出願をして特許を取った磁気を使うおもちゃの発明です。時は明治時代です。磁石というと磁針が方位磁石や羅針盤に使われていたようです。鉄が磁気を帯びて方位磁石に使えることは分かっていたようですが、磁気自体、当時は未踏な技術分野でした。この発明は、そんな時代の磁気を使う発明です。明細書を読むと理由が分からないことが多く、そんな“おもしろ”の一例としてご紹介いたします。

■図１　内部の構造が分かるように切り欠いてあります

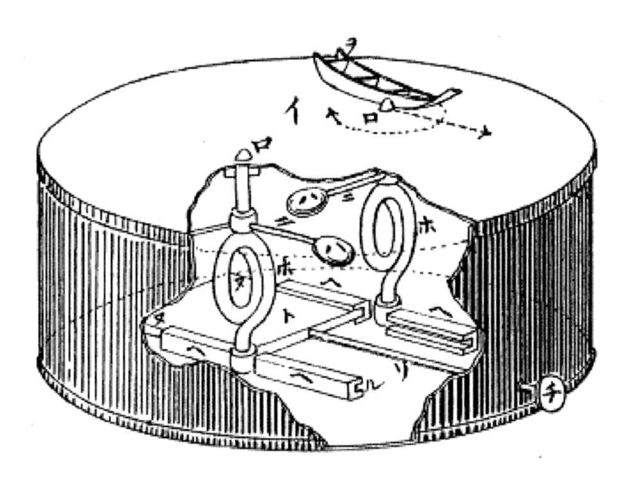

イ:台、ホ:磁気を帯びた軸、ロ:軸の先端、ニ:アーム、ハ:重り、
ト:板、　ヘ:ガイド、ヲ:船(鉄製）、チ:ボタン、リ:棒

（ホ）が二本、立ててあります。軸の材質は磁気が附着するのだから、多分、鉄だろうと思いますが、よく分かりません。軸の根元は、横に並んだガイド（ヘ）の中間にあたる箇所に、太くした部分が描かれています。板（ト）をガイドからガイドへスライドさせると、左右の軸を同時にクルクル回せる工夫のようです。

台の外からボタン（チ）を引っ張ったり、押し込んだりすれば、板は奥のガイドと手前のガイドの間で行き来し、その都度、板の縁が軸の太くなった部分をこすります。すると、両方の軸（ホ）が同時に、しかも、同じ速さで互いに反対方向に回すことができます。これはチョッとした仕掛けです。S と N の磁気だから大事なことかもしれませんが、これについても詳しいことは明細書には書かれていないので、よく分かりません。

磁気を帯びた軸（ホ）の上の方を見ると、先端（ロ）が台の表面に飛び出しています。この軸が奇妙なカタチに曲げてある理由は、明細書に説明がないので、よく分かりません。また、カタツムリ状の軸（ホ）が直線に延びる部分にアーム（ニ）が延びており、先には重り（ハ）がつけてあります。明細書によると、「軸の回転せらるるにより惰性を与える」と書いてありますが、なぜ回転が必要なのか、なぜ惰性が必要なのか、これもよく分かりません。

いよいよ台の上です。「軸（ホ）に附着せる磁気の媒介により鉄製の物体は運動を伝えられる」とあるので、磁気を帯びた軸を動かすと、軸から出る磁気の力が鉄の船に働き、「一見、その物体が自然に運動を生じたかのごとき観を呈する」と明細書には書かれています。

U 字型の磁石を使えば、台の下に磁石を置き、その上に鉄の船を置いて下の U 字磁石を回せば船は動きます。目には見えない S 極と N 極を結ぶ磁力線が働くからです。でも、磁気を帯びさせた二つの軸を立てておき、その軸の位置を動かさずに軸を回すと、どうでしょう。本当に船は動くのでしょうか。I 字型の棒磁石を二本、垂直に立てて回すと、その上で鉄の船はどう動くのでしょうか。

たしかに磁石を使うと、糸やゴムで引っ張ったり押したりしなくても、見えない磁力線の力で台の上の船を動かすことができます。このおもちゃは磁気を使ったおもちゃです。ただし、発明というからには、原理が分からなくても、いつでも、だれでも、繰り返して働かすことができる、それがホンモノの発明だと思います。まだまだ分からないことだらけです。その意味でも“おもしろ発明”の一つの例としてご紹介しました。

磁気を用いたおもちゃは現代でも多くあります。今のような永久磁石が生まれるのは大正時代になってからで、大正 6(1917)年の本多光太郎による当時の世界最強の合金磁石など、我が国の磁石の発明は有名です。

掲載特許図面一覧

本書で掲載した特許公報の特許番号と特許出願日、そして、発明者の氏名と当時の郷土の地域名、本書の掲載ページを出願日順に掲載しました。

おもちゃは簡単そうで実は大変にむずかしく、多くの先人の知恵が盛り込まれています。随所におもちゃ作りの熱い思いがこもっています。現代にも通じる情熱と社会の変化、我が国の技術年表の一つとして、この一覧をお楽しみください。

掲載【索引】掲載した発明の掲載ページを紹介しています。

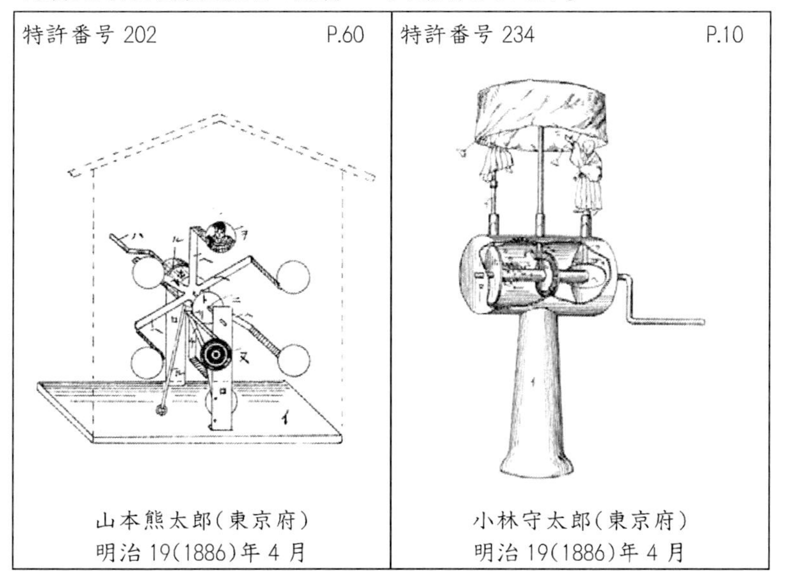

特許番号 202　P.60	特許番号 234　P.10
山本熊太郎(東京府) 明治 19(1886)年 4 月	小林守太郎(東京府) 明治 19(1886)年 4 月

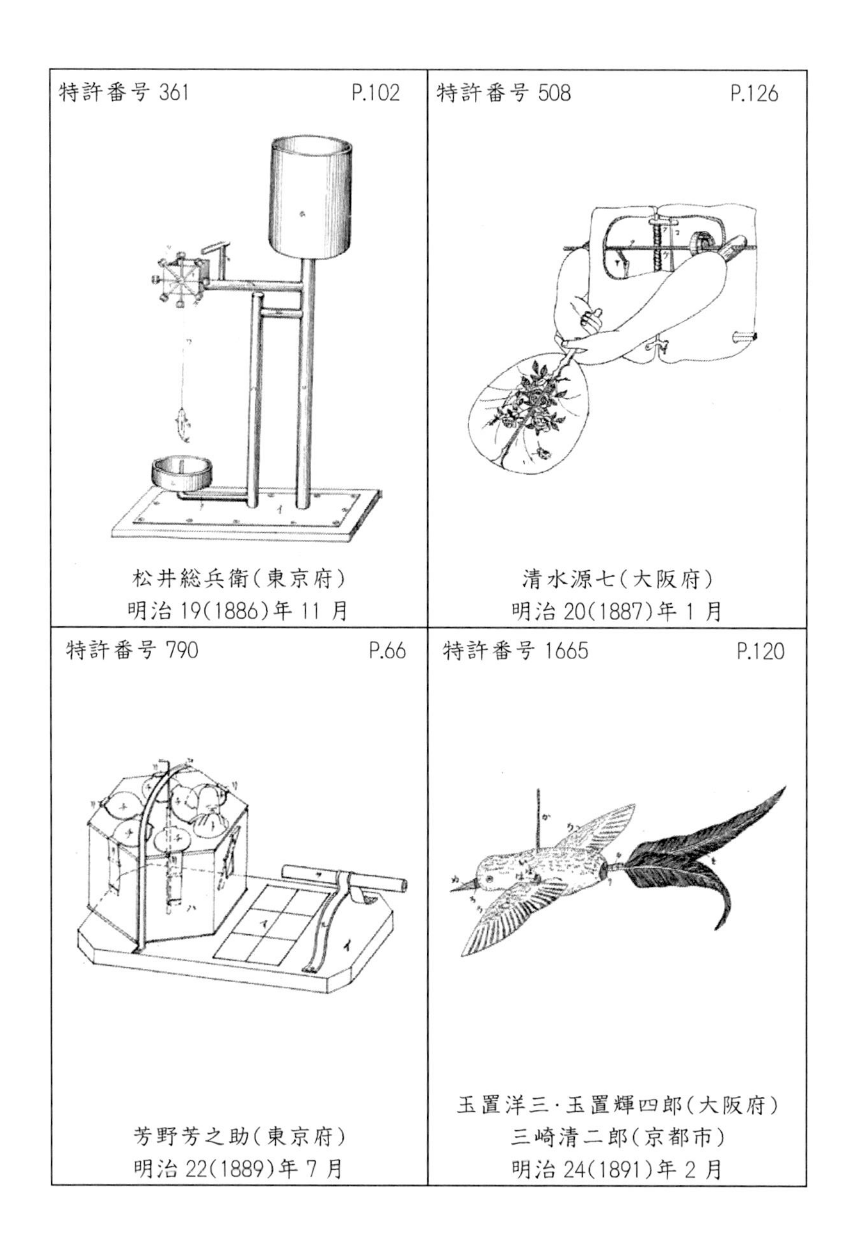

特許番号 361　P.102

松井総兵衛(東京府)
明治 19(1886)年 11 月

特許番号 508　P.126

清水源七(大阪府)
明治 20(1887)年 1 月

特許番号 790　P.66

芳野芳之助(東京府)
明治 22(1889)年 7 月

特許番号 1665　P.120

玉置洋三·玉置輝四郎(大阪府)
三崎清二郎(京都市)
明治 24(1891)年 2 月

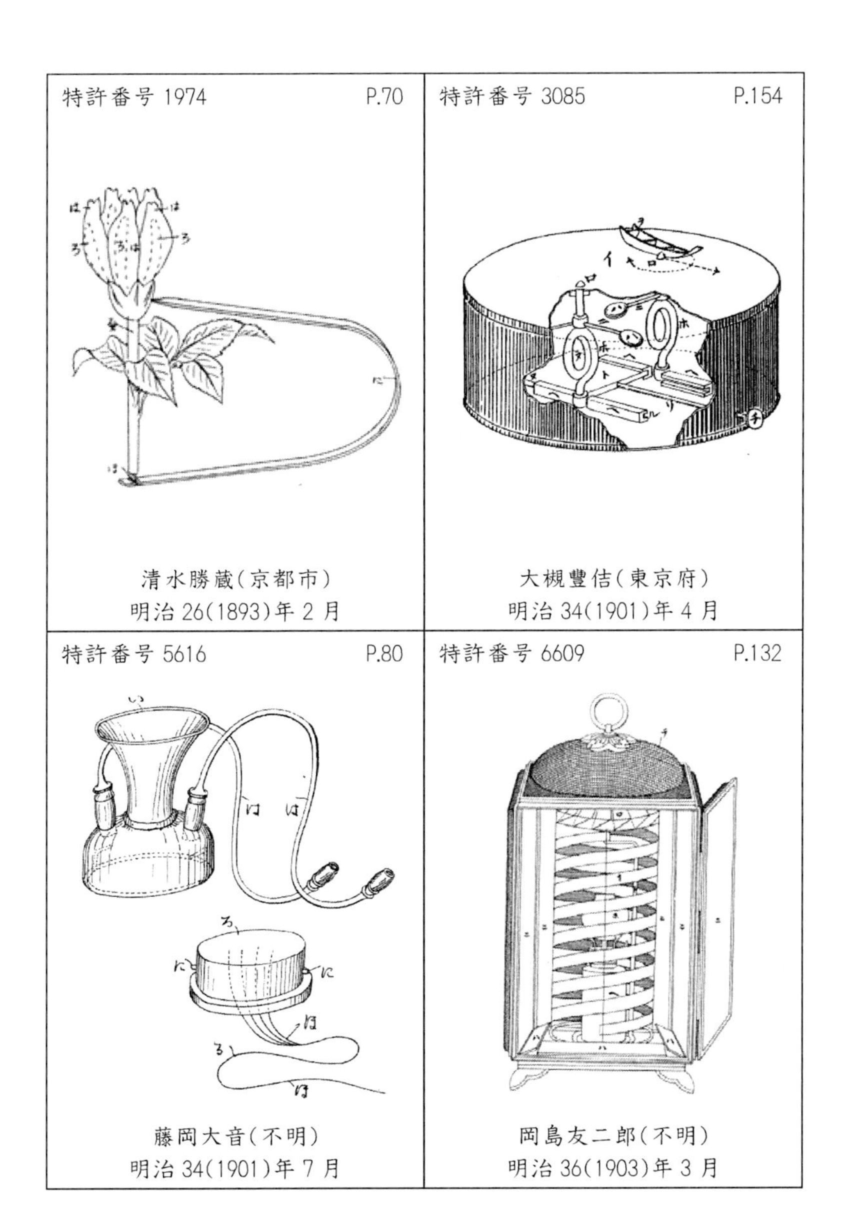

特許番号 1974　P.70

清水勝蔵（京都市）
明治26(1893)年2月

特許番号 3085　P.154

大槻豊信（東京府）
明治34(1901)年4月

特許番号 5616　P.80

藤岡大音（不明）
明治34(1901)年7月

特許番号 6609　P.132

岡島友二郎（不明）
明治36(1903)年3月

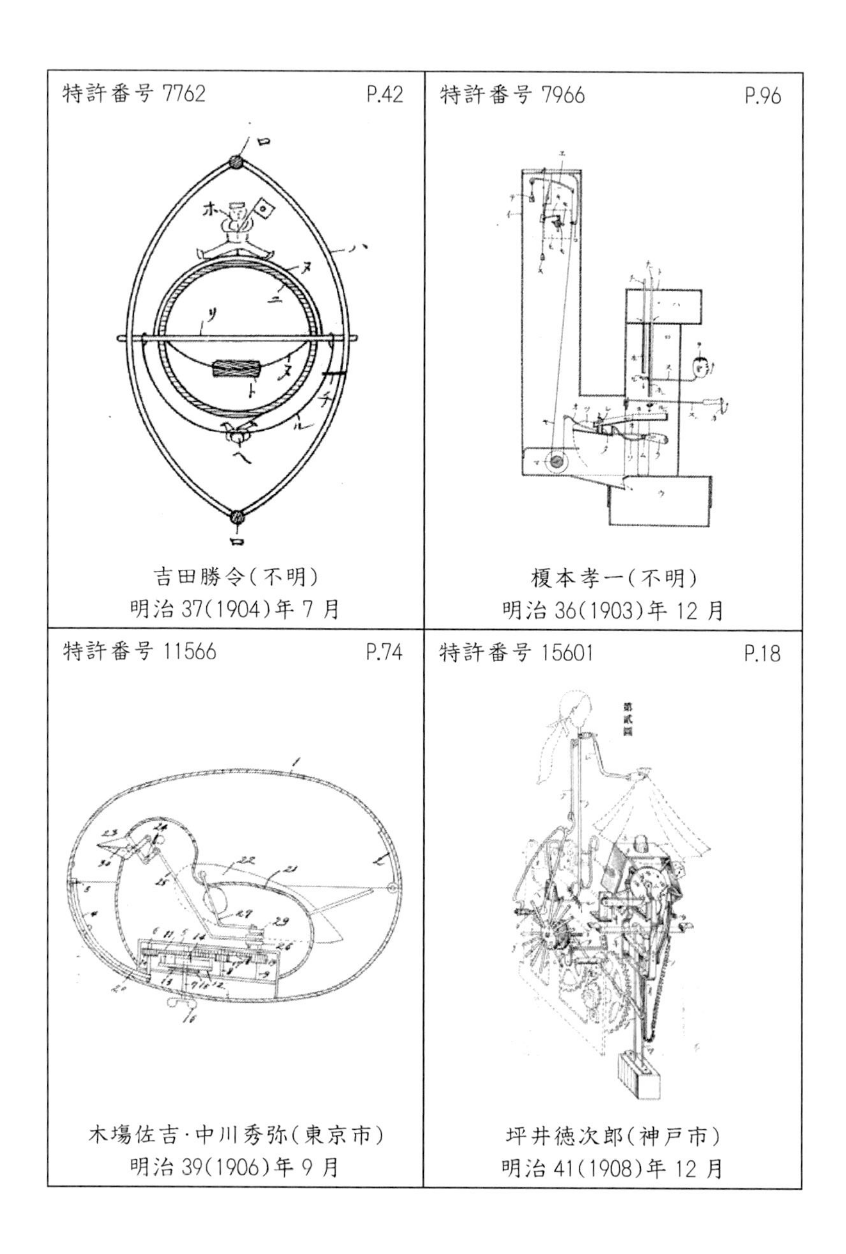

特許番号 7762　P.42

吉田勝令(不明)
明治37(1904)年7月

特許番号 7966　P.96

榎本孝一(不明)
明治36(1903)年12月

特許番号 11566　P.74

木場佐吉·中川秀弥(東京市)
明治39(1906)年9月

特許番号 15601　P.18

坪井徳次郎(神戸市)
明治41(1908)年12月

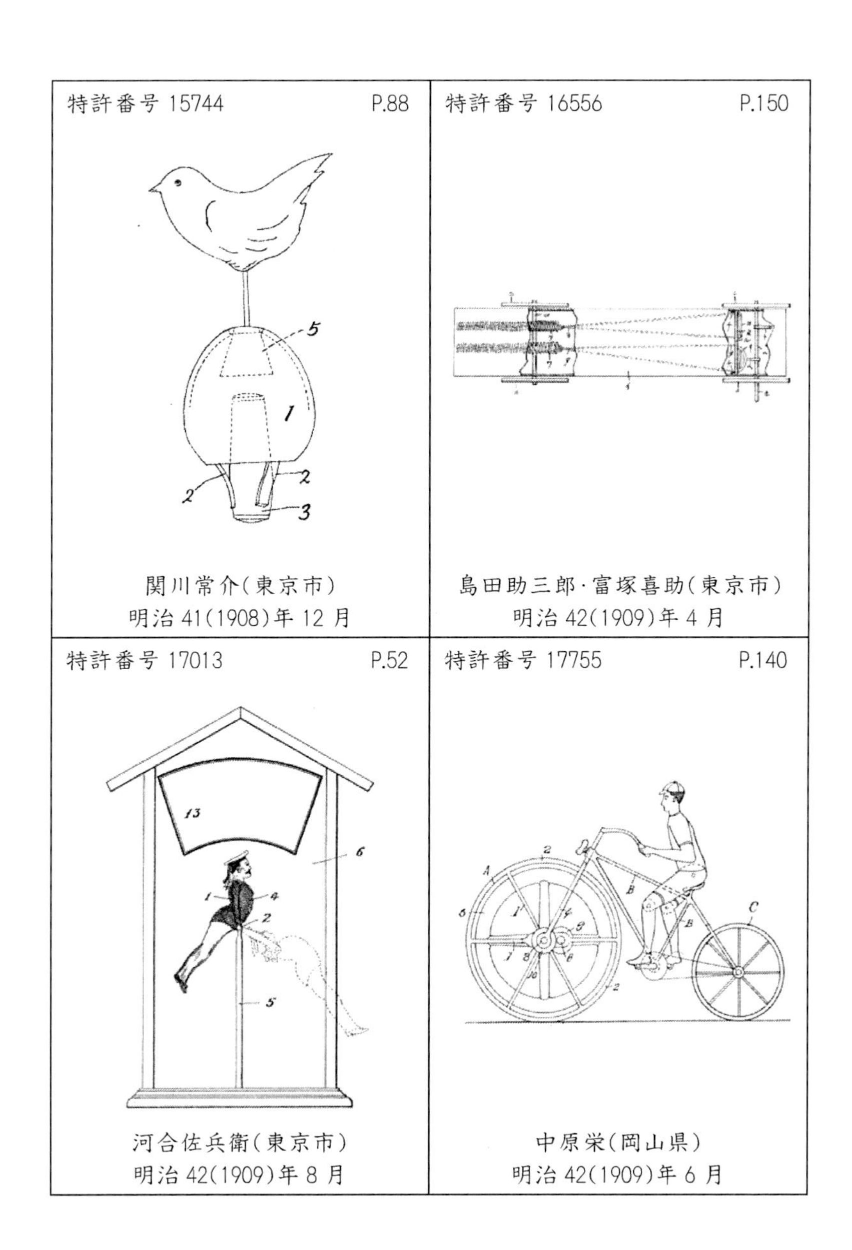
特許番号 15744
P.88
関川常介(東京市)
明治 41(1908)年 12 月
特許番号 16556
P.150
島田助三郎·富塚喜助(東京市)
明治 42(1909)年 4 月
特許番号 17013
P.52
河合佐兵衛(東京市)
明治 42(1909)年 8 月
特許番号 17755
P.140
中原栄(岡山県)
明治 42(1909)年 6 月

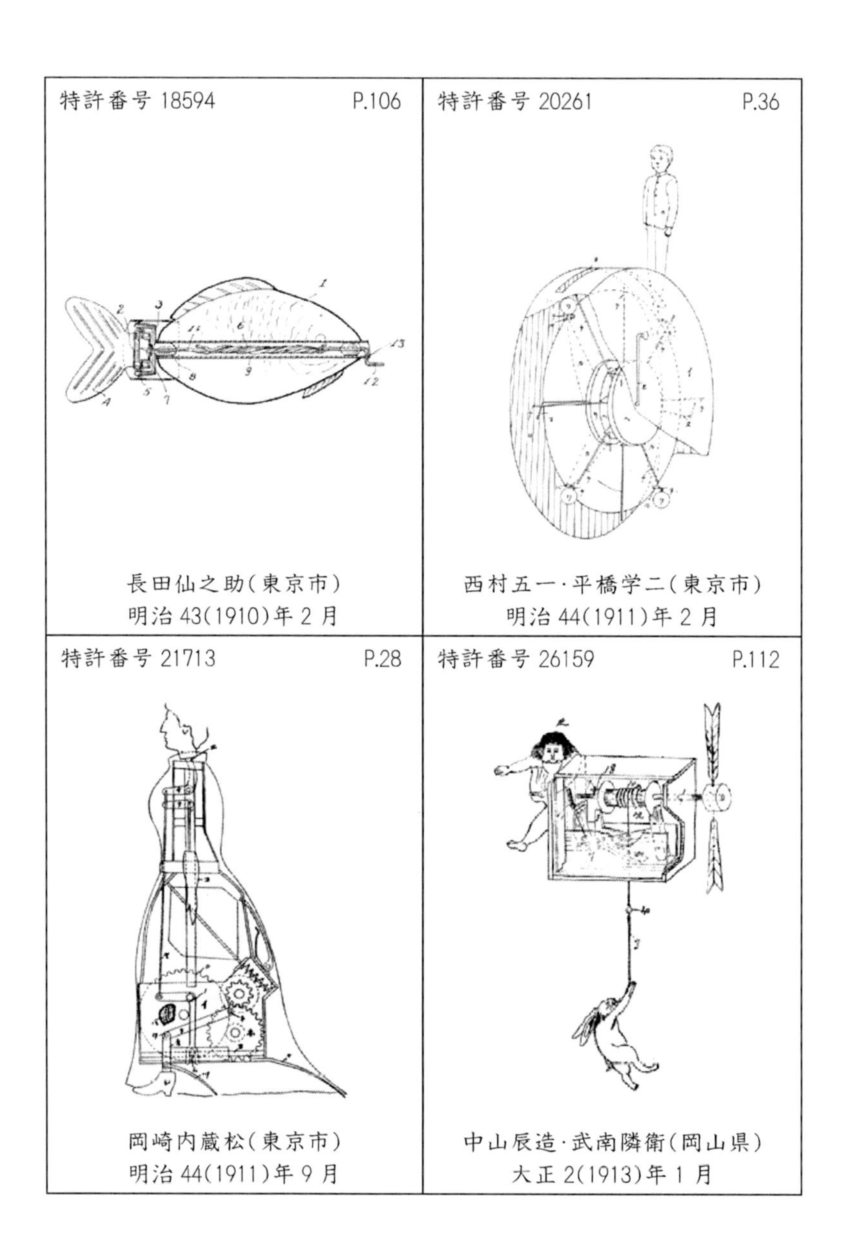

特許番号 18594　P.106
長田仙之助（東京市）
明治 43(1910)年 2 月

特許番号 20261　P.36
西村五一·平橋学二（東京市）
明治 44(1911)年 2 月

特許番号 21713　P.28
岡崎内蔵松（東京市）
明治 44(1911)年 9 月

特許番号 26159　P.112
中山辰造·武南隣衛（岡山県）
大正 2(1913)年 1 月

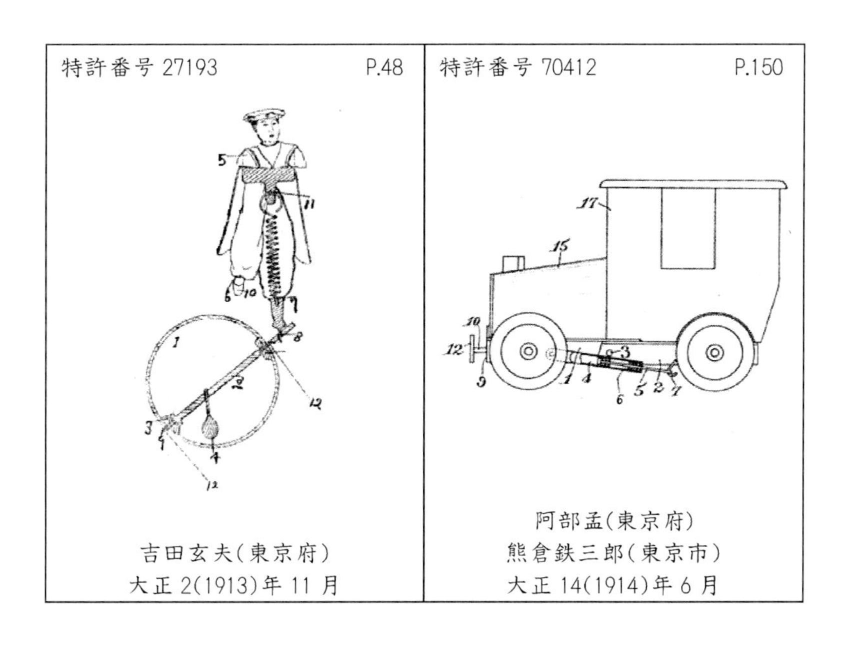

特許番号 27193 P.48

吉田玄夫(東京府)
大正 2(1913)年 11 月

特許番号 70412 P.150

阿部孟(東京府)
熊倉鉄三郎(東京市)
大正 14(1914)年 6 月

あとがき

本書は発明を生み出す技術的思想とは何かを考える道標となることを目的に編集した。まず、技術的な思考の普遍性を前提にすることから、明細書の記載内容を実質本位に読むことに努めた。明治、大正の特許発明の明細書には旧字や死語が多く、現代の技術用語で言い換えたり説明されていない構成を補足説明するなどにも及んだ。そのうえで、本書が特徴にする“おもしろ発明”として目をつけた事柄を選び、現代技術から見た解釈を交え、考えられたことや考えをできるだけ平明に説明するように努力した。なかには説明が過ぎる部分や、説明不足で戸惑う箇所があるかもしれないが、発明者の考え方を浮き彫りにしたいという編集意図や、あえて読者の創意工夫で補足を求める意図でもある。明治、大正時代の特許発明は現代技術との間に 100 年という適度な距離感がある。この距離感は現代技術を尺度にするという観点を薄め、技術的思想の意味を考える上で適当な距離感だとも言えそうである。本書の編集には広瀬徹、間嶋房雄、中島篤、中島隆が携わり、企画には橋本小百合、制作には関由紀子にご尽力を頂いた。ここに厚くお礼を申し上げる。

株式会社ネオテクノロジー

2020 年 2 月

参考文献

JIS 工業用語大辞典、第 2 版、日本規格協会

岩波理化学辞典、第 5 版、岩波書店

機械工学便覧、日本機械学会編、丸善出版

広辞苑、第七版、岩波書店

米国特許商標庁、http://patft.uspto.gov/

独立行政法人工業所有権情報・研修館、https://www.j-platpat.inpit.go.jp/

おもしろ発明史 おもちゃ

明治・大正特許図面集

2020年2月21日　初版発行
定価 2,970円(税込)
ISBN 978-4-86573-894-0
発行者　中島　隆
発行所　株式会社ネオテクノロジー
〒101-0062
東京都千代田区神田駿河台 2-3-13　鈴木ビル 2F
電話 03-3219-0899　FAX 03-3219-7066
URL https://www.neotechnology.co.jp/
E-mail toiawase@neotechnology.co.jp

©2020　NeoTechnology
本書および本書の附属物の内容を許可なく転載することを禁じます。